Les Éditions du Boréal
4447, rue Saint-Denis
Montréal (Québec) H2J 2L2
www.editionsboreal.qc.ca

L'HISTORIEN
DE RIEN

DU MÊME AUTEUR

Temps pascal, roman, CLF, 1982; Le Nordir, 2003.

Nouvelles de la capitale, nouvelles, Québec Amérique, 1987.

L'Obomsawin, roman, Prise de parole, 1987; Bibliothèque québécoise, 1999.

Visions de Jude, roman, Québec Amérique, 1990; Bibliothèque québécoise, 2000 (sous le titre *La Côte de sable*).

L'Écureuil noir, roman, Boréal, 1994; coll. «Boréal compact», 1999.

Le Canon des Gobelins, nouvelles, Le Nordir, 1995.

Samuel Hearne. Le marcheur de l'Arctique, roman pour la jeunesse, XYZ, 1995.

L'Homme de paille, roman, Boréal, 1998.

Le Roman colonial, essai, Boréal, 2000.

La Kermessse, roman, Boréal, 2006; coll. «Boréal compact», 2008.

René Lévesque, essai, Boréal, 2009.

Daniel Poliquin

L'HISTORIEN
DE RIEN

roman

Boréal

© Les Éditions du Boréal 2012
Dépôt légal : 4ᵉ trimestre 2012
Bibliothèque et Archives nationales du Québec

Diffusion au Canada : Dimedia
Diffusion et distribution en Europe : Volumen

*Catalogage avant publication de Bibliothèque et Archives nationales du Québec
et Bibliothèque et Archives Canada*

Poliquin, Daniel, 1953-

    L'historien de rien

    ISBN 978-2-7646-2194-3

    I. Titre.

PS8581.O285H57   2012   C843'.54   C2012-941151-5

PS9581.O285H57   2012

ISBN PAPIER 978-2-7646-2194-3

ISBN PDF 978-2-7646-3194-2

ISBN ePUB 978-2-7646-4194-1

*J'offre ce livre à la petite fée Ciboulette
et à son cousin, le petit prince au prénom de prophète.*

La petite mère

Je l'imagine avançant d'un pas leste dans la steppe canadienne, coiffée d'un petit chapeau fleuri et portant une
valise d'osier. Manteau bleu azur, chemisier blanc à
jabot, jupe de laine et bottillons noirs à lacets. Élégance
modeste que confirme son ombrelle fleurie aux motifs
vaguement japonais. Elle se fraie un chemin dans les
hautes herbes sans craindre les bouses de bison qu'elle
repère toujours à temps. Elle est née dans ce pays et en
connaît la terre par cœur.

Il fait chaud, mais pas trop ; un temps idéal pour
partir en voyage, qu'elle se dit, elle qui part pour
quelque part pour la première fois de sa vie. Mais la
course lui donne chaud : elle est déjà toute trempée sous
ses vêtements et craint de sentir mauvais dans le train.
Dans sa tête, elle demande au chef de gare si elle peut
se rafraîchir dans son petit appartement de fonction. Il
ne pourra pas lui refuser ça : la compagnie de chemin
de fer a sûrement des bontés de ce genre pour les gens
qui en sont à leurs premières aventures, comme elle.
Il paraît qu'il est gentil, ce chef de gare, et qu'il vient
d'un de ces pays d'Europe qu'elle rêve de voir. Elle lui
demandera s'il a déjà été à Vienne et si c'est vrai que

c'est beau là-bas, plus beau qu'ici, même. Parce que c'est là qu'elle va, justement.

Une longue route l'attend. Edmonton-Calgary-Regina-Winnipeg. Puis Toronto-Ottawa-Montréal. Presque deux semaines de train. De là le paquebot qui va à Liverpool. Ensuite le train pour Londres, la traversée de la Manche en bateau, et de nouveau le train, direction Paris, puis Vienne. Six semaines en tout au minimum, qu'elle a lu. Elle a hâte.

Ce premier voyage a aussi l'âpre goût de l'exil. Dans son cœur, elle a décidé qu'elle partait pour toujours. Elle a passé toute sa vie ici, elle qui vient de fêter ses vingt-six ans. Depuis qu'elle sait lire, elle a avalé tous les magazines et journaux que les voyageurs laissaient traîner chez ses parents quand ceux-ci faisaient à l'occasion métier d'hôteliers. Lorsqu'elle n'arrivait pas à déchiffrer la langue de certains périodiques, elle se contentait d'en contempler les images des heures durant, tellement qu'elle finissait par se convaincre d'avoir compris le texte en s'appuyant sur quelques mots ici et là qui ressemblaient au français et à l'anglais. Elle a ainsi imaginé les merveilles que recèlent Berlin, Prague, Varsovie et Bucarest. Parfois, elle demandait à sa mère de confirmer ses déductions, et elle boudait quand la maman lui disait qu'elle s'était trompée. Sa maman savait, elle : elle était de là-bas, d'une commune située près de Liège, en Belgique, et elle avait appris bien des choses avant de quitter son pays natal pour s'établir au Canada avec ses parents et la moitié du village.

Le père de la jeune femme au chapeau fleuri était

canadien, lui. Ses ancêtres étaient d'Europe, mais il n'y avait jamais mis les pieds et l'envie d'y aller ne lui avait jamais passé par la tête. Il était né en Beauce, au Québec, près de la frontière américaine, et était venu dans l'Ouest avec son régiment de voltigeurs à l'époque de la Rébellion. À sa démobilisation, il avait obtenu une concession foncière du gouvernement et s'était fait colon dans le nord de l'Alberta. Il avait travaillé la terre quelque temps, mais comme il avait surtout des dispositions pour le commerce, il avait fini par vendre sa concession pour ouvrir un magasin général. Quelques années plus tard, un groupe de colons belges s'était installé dans la région. Le jeune marchand général les avait aidés à maintes reprises ; il s'était ainsi lié avec une famille qui avait trois filles à marier. Il avait demandé la main de la deuxième, la plus jolie des trois, qu'il disait toujours, et on la lui avait accordée sans peine vu que les beaux partis étaient rares dans le coin. La jeune femme au chapeau fleuri avait été leur unique enfant.

Son enfance avait été bien tranquille. Sa seule distraction lui était venue de l'école, où officiait une religieuse de France. La loi provinciale obligeait cette brave missionnaire à enseigner en anglais, mais elle n'en faisait qu'à sa tête et enseignait en français : elle y était bien obligée, ses élèves ne parlaient pas d'autre langue à la maison, et elle-même n'avait que des rudiments de la langue officielle d'enseignement. Pour la visite annuelle de l'inspecteur, on s'arrangeait. Cet inspecteur, un bachelier jeune et dynamique, n'aimait pas les histoires, et il avait l'intelligence d'annoncer sa visite longtemps à l'avance. Le jour de sa venue, la religieuse et les élèves faisaient semblant de parler anglais en classe. La comédie durait une petite heure, et l'inspecteur, nullement dupe, rédigeait un rapport laudatif sur les progrès de la petite école à l'intention des autorités, qui étaient aussi complices que lui. Ce qui comptait pour tous, c'était qu'il y ait une école et qu'il n'y ait pas d'ennuis avec les orangistes fanatiques. Le reste était sans importance.

L'école primaire terminée, la jeune fille aurait pu aller au couvent pour parfaire son éducation. La bonne sœur avait insisté pour qu'elle y aille. Ses parents n'avaient pas voulu : ils craignaient que les religieuses n'en fassent une bonne sœur qui serait allée missionner à l'autre bout de la Création et n'en serait jamais revenue. La jeune fille ne leur avait pas tenu rigueur de leur refus ; elle en avait au contraire ressenti une certaine fierté, qu'elle avait eu la clairvoyance de dissimuler.

La religieuse enseignante, qui avait été peinée de voir la jeune fille rester chez ses parents, en avait pris son parti. Comme la jeune fille aimait l'école, la sœur en avait fait son auxiliaire : elle faisait la classe quand l'institutrice devait s'absenter, et elle aidait les élèves plus lents à faire leurs devoirs et à apprendre leurs leçons. Étant donné que le programme ne changeait alors que tous les trente ans, la jeune fille, à force de le répéter, en avait appris le contenu par cœur. Lors d'une visite annuelle, l'inspecteur avait noté que la jeune fille jouissait d'une autorité naturelle sur les élèves du fait de sa haute taille et de son goût pour le savoir officiel. Il avait conclu que la jeune fille saurait un jour remplacer la sœur. Pour dédommager l'apprentie enseignante de son aide, la religieuse l'avait encouragée à passer son brevet d'institutrice. L'examen d'agrément consistait alors à recracher intégralement des morceaux choisis du programme devant un fonctionnaire du ministère de l'Éducation : réciter quelques tables de multiplication, nommer les quatorze juges d'Israël et les douze apôtres, ânonner la définition de l'hygiène, expliquer trois notions essentielles de chimie, deux de physique, etc. Vers l'âge de dix-sept ans, elle avait été examinée par l'inspecteur au cours de sa visite annuelle, et le toujours complaisant monsieur lui avait décerné son brevet avec les éloges du Ministère. C'était comme ça qu'on s'y prenait dans le temps pour former des enseignants dans ce pays qui en manquait tant. C'est dire combien cette époque est lointaine.

La religieuse étant tombée malade, la jeune fille l'avait remplacée au pied levé. La bonne sœur était allée se faire soigner dans son couvent de France et n'avait plus jamais donné de nouvelles. L'inspecteur s'était empressé de confirmer la jeune institutrice dans ses fonctions. Il n'avait guère le choix : personne ne voulait de son poste et du salaire de famine qui allait avec. Et puis elle était compétente, elle avait son brevet, non ? Toute sa vie elle allait se rappeler avec émotion le moment où l'inspecteur lui avait remis une enveloppe contenant la moitié de son salaire pour une année : cent cinquante dollars ! Elle qui n'avait jamais eu autant d'argent à elle toute seule s'était alors sentie entourée de la considération générale. Ses parents, qui l'adoraient, s'étaient mis à lui témoigner aussi de la considération; quand ils parlaient d'elle à leurs concitoyens, ils ne la nommaient plus par son prénom, et ils disaient «Mademoiselle», comme tout le monde. Elle avait fait la classe pendant huit ans.

Il s'en était passé, des choses, pendant ces huit longues années. Des malheurs sans fin, surtout, qui avaient commencé avec la mort de la mère de la jeune fille. Elle avait été la première enterrée du village, distinction dont sa famille se serait bien passée. Les récoltes avaient été mauvaises année après année, causant l'exode d'une famille après l'autre. Il y avait chaque année moins d'élèves dans la classe de Mademoiselle, et le gouvernement parlait de fermer l'école. Plusieurs familles étaient rentrées en Belgique, car elles n'avaient pas su se faire à la rigueur du climat. On avait toujours du mal à revendre les terres laissées vacantes, et le gouvernement était trop pauvre pour aider les colons assez téméraires pour rester.

Les temps étaient si durs que les meilleures volontés s'épuisaient. Le dernier grand coup avait été porté par une épidémie de grippe meurtrière. Le quart du village en était mort, toutes les familles avaient été éprouvées. La jeune institutrice y avait perdu son père; la grippe avait tué aussi un jeune homme aux cheveux blonds et aux yeux verts qui, disait-on, l'aimait en secret. C'était le garçon le plus populaire du village; toutes les mères rêvaient de l'avoir pour gendre. C'en fut trop pour nombre de jeunes gens, qui décidèrent d'aller chercher du travail ailleurs. «Ils font bien de partir avant que le cimetière déborde», gémissaient les vieux du village. Eux aussi finirent par se résigner à suivre leurs enfants dans leur second exil. Il était bien vrai que la vie était meilleure ailleurs, surtout dans les villes. Fort heureusement, et ce fut bien la seule bonne nouvelle qui circula dans ces mauvaises années, une société de peuplement européenne s'était montrée disposée à racheter les terres abandonnées pour les revendre à des paysans d'un autre pays prêts à tenter leur chance à leur tour. Lorsqu'ils discutaient de cette offre entre eux, les gens de la place murmuraient que ces futurs immigrants devaient venir d'un pays très malheureux pour vouloir venir ici. Mais d'où peuvent-ils bien venir? avait fini par demander quelqu'un. Du Danube, avait répondu quelqu'un de plus renseigné que les autres. Personne ne savait où était ce pays. Des Carpates, avait affirmé un autre. Connais pas non plus. Puisqu'ils achetaient, ils avaient bien le droit de venir d'où ils voulaient, avait conclu le bon sens populaire. Même la jeune femme avait réussi à vendre le bâtiment qui avait abrité le logement et le magasin général de ses parents. Les futurs arrivants ne payaient pas lourd, et leur agent était un négociateur âpre, mais au moins ils payaient quelque chose, c'était mieux que rien.

L'inspecteur avait offert un autre poste à la jeune femme, car l'école resterait fermée pendant au moins un an, le temps que les nouveaux colons s'installent. Un beau poste, à Edmonton, dans la capitale; l'inspecteur connaissait bien le principal de l'école; elle n'avait qu'à dire oui, et l'affaire était conclue. Elle s'était contentée d'accuser réception de sa lettre pourtant si aimable. C'est qu'elle avait un autre plan dans la tête. Un vrai, et rien qu'à elle, dont elle n'avait parlé à personne. Personne. Elle avait décidé de rentrer. C'est-à-dire d'aller vivre dans les vieux pays, comme on disait : en Europe! Le mot — *rentrer* — était mal choisi quand on y pense. Après tout, elle n'était pas de là-bas : elle était née dans la steppe canadienne et ne connaissait pas d'autre contrée. Sa mère avait vu le jour en Belgique, d'accord, mais il y avait longtemps de cela ; quant à son père, sa famille avait quitté la France au XVIIe siècle, et encore, elle n'aurait jamais su dire de quelle province il était, et lui-même n'avait jamais exprimé la moindre curiosité à l'égard de ses origines. Il disait seulement qu'il était du Québec, province qu'il connaissait à peine, d'ailleurs, pour n'y avoir jamais voyagé ; il était parti de là-bas très jeune et s'était rendu dans l'Ouest sans trop s'intéresser au continent qu'il y avait entre son point de départ et son point d'arrivée. Seule la langue des parents rattachait la jeune femme à l'Europe.

Ces considérations tenaient toutefois peu de place dans sa résolution. Elle aimait son lieu de naissance et n'en avait que de bons souvenirs, mais les récits de voyage qu'elle avait lus et entendus l'avaient intoxiquée. Depuis que son pays natal se dérobait sous ses yeux et sous ses pieds, elle ne rêvait que de racines européennes. Elle se mourait de voir ces lieux qui suintaient le raffinement. On lui avait dit que, dans les grandes villes du vieux continent, les gens aisés habitaient de spacieux appartements éclairés à l'électricité et au gaz, dont les larges fenêtres donnaient sur de grands boulevards où déambulaient des dames élégantes et de chevaleresques messieurs. Personne n'allait aux toilettes dehors comme ici. Les gens faisaient leurs besoins dans des cuvettes d'eau qui se lavaient toutes seules, disait-on, et emportaient les déjections au loin comme par magie ; c'était tout juste si l'on n'était pas dispensé de s'essuyer le derrière après. C'était quand même quelque chose, ça ! Pour se déplacer, il n'y avait qu'à héler un fiacre, qui vous emmenait à l'opéra ou au théâtre, au choix. On pouvait aussi prendre l'omnibus, et même le métro, une sorte de train souterrain capable de vous conduire très loin dans la ville. Pour manger, il suffisait d'entrer dans un restaurant et de commander quelque chose à un garçon bien habillé qui vous apportait vos plats et débarrassait la table après. On n'avait rien à faire dans ces pays, on se faisait servir par d'autres. Cette vie-là était faite pour elle, songeait-elle.

Elle hésita longtemps sur le choix de la ville où elle irait s'installer. Londres, Bruxelles, Paris, Berlin, Vienne... Oui, Vienne ! Où il y avait tant de musique et où les garçons de café étaient tous revêtus de redingotes noires, même les préposés aux toilettes. Il paraissait aussi qu'on servait dans les restaurants des gâteaux fabuleux aux saveurs inconnues ici — angélique, marrons, pistaches, tout ce qu'on voulait —, nappés de crème fouettée. Pour se rafraîchir, des thés venus d'Orient et des cafés de Turquie et d'Arabie. Et l'été, avait-elle lu, des glaciers italiens ambulants vous régalaient de crèmes glacées, les plus fines du monde, avec des parfums dont les noms seuls faisaient rêver. Cerise, orange, citron, pamplemousse. Il fallait absolument qu'elle voie tout ça pour s'assurer que c'était bien vrai ! Munich, Prague, Varsovie, Budapest, Saint-Pétersbourg, Moscou… Non, pas Moscou, il y faisait trop froid, comme ici, ou alors peut-être juste un été, s'il y faisait beau. Incapable de se décider, elle avait calmé ses rêveries capiteuses en se promettant d'aller dans toutes ces villes. Son voyage durerait au moins cinq ans. Il n'y avait pas que les gâteaux et les belles toilettes des grandes dames. Il y avait aussi la musique, le théâtre. Elle n'était jamais allée à l'opéra, elle n'avait jamais vu une pièce, elle n'était jamais allée au cinéma, même pas au cirque ; il n'y avait rien de tout cela ici. Rien, rien du tout.

Évidemment, ces pérégrinations dans la Terre promise coûteraient cher, d'autant qu'elle ne comptait nullement se priver. Aucun problème, elle avait assez. Ses économies, bien sûr, mais surtout l'argent de son héritage — ses parents avaient travaillé dur toute leur vie et étaient des gens économes —, et il y avait l'argent provenant de la vente du magasin. Le commis de la banque qui était venu lui remettre le produit de la vente avait mis un long moment à compter tout l'argent liquide qui lui revenait à la fermeture de son compte. Plus de deux mille trois cents dollars ! De quoi acheter une maison comptant dans n'importe quelle ville du Canada, lui avait-il dit sur un ton admiratif qui l'avait emplie d'aise, et il lui en resterait assez pour vivre quelques années sans travailler, le temps pour elle de trouver une situation.

« Et je pourrais vivre combien de temps avec ça si

je vivais, disons, en Europe?» lui avait-elle lancé d'un air qu'elle voulait insouciant et qu'on prend pour demander un petit renseignement, comme ça, par curiosité, quand on parle pour parler… Le commis, tout heureux d'étaler sa science des monnaies du monde, lui avait fait un bref exposé sur les devises, et les mots qu'il avait jetés pêle-mêle n'avaient fait qu'attiser la rêverie de la jeune femme : livres, florins, francs, lires, marks, roubles, drachmes, couronnes, pesetas, escudos… Elle avait presque eu envie de l'embrasser tellement elle se sentait riche, riche !

Le commis parti, elle était allée déterrer dans une malle une vieille revue où elle se rappelait avoir vu un tableau des devises d'Europe avec leur valeur équivalente en argent canadien. (La chose l'avait frappée, car elle s'était imaginé jusqu'alors que la piastre était la seule monnaie du monde, et sur le coup elle avait été surprise d'apprendre que d'autres pays pouvaient compter différemment.) Une heure plus tard, elle savait tous ces noms de devises sur le bout des doigts, oublieuse du fait que la revue avait plus de dix ans et que les cours avaient peut-être évolué. La nuit suivante, dans son rêve, elle avait cherché à payer en florins une tasse de café et une part de gâteau à un garçon de café viennois qui ne voulait être payé qu'en schillings. Le garçon lui avait fait de gros yeux et dit des choses en allemand qui lui paraissaient désobligeantes. Un officier chamarré, attablé non loin d'elle, s'était alors levé pour gifler le garçon malpoli, les deux hommes avaient commencé à se battre, et l'orchestre s'était mis à jouer du Strauss — un nom qu'elle avait lu comme tant d'autres, mais auquel elle préférait Liszt parce qu'elle trouvait la graphie plus jolie — pendant qu'un agent de police séparait les belligérants. Elle s'était réveillée toute triste de ne pas avoir eu de schillings dans son sac, car le garçon ne méritait sûrement pas d'être giflé avec autant de force. Comme quoi elle avait bon cœur.

Ces histoires d'argent avaient raffermi l'ambition qu'elle avait de voir l'Europe. Elle ne se préoccupait pas trop de savoir si ses ressources viendraient à s'épuiser. Dans ces belles capitales où régnaient des rois et des empereurs, on donnait des bals ou de grandes soirées où peintres et écrivains côtoyaient des archiduchesses et des marquis. (Elle l'avait lu ; ça devait donc être vrai.) Elle trouverait bien moyen d'être conviée à l'une de ces fêtes. Un bel officier l'inviterait à danser — elle ne savait pas danser, mais elle prendrait des leçons — et il demanderait à la revoir avant de partir pour quelque guerre où il se couvrirait de gloire. S'étant liée avec lui, elle l'accompagnerait dans le monde, au concert, au théâtre, au restaurant. Il la présenterait à sa famille, à des gens intéressants : à des peintres surtout, elle tenait absolument à ce qu'il y ait des peintres dans son auto- biographie imaginaire, car elle aimait beaucoup ce mot, *peintre,* ça faisait tellement chic et mystérieux… Fata- lement, à force de briller dans la bonne société de Vienne ou de Berlin, cette fille de négociants canadiens — elle entendait se présenter ainsi — finirait par attirer l'attention sur elle. Un beau jour, elle ferait la connais- sance de quelque jeune et riche avocat ou médecin, et le bel officier du début, pas jaloux pour deux sous, lui dirait du bien de ce beau parti. Les fréquentations tourneraient à son avantage, l'amour suivrait, la promesse de mariage aussi. Ils iraient en voyage de noces en Italie, le pape bénirait leur union à Rome, rien de moins, et elle sacrifierait sa virginité sur un beau navire dans l'Adriatique, au large de Venise. Dommage qu'elle n'eût pas d'amis intimes au Canada à qui elle pourrait relater tout cela dans des lettres parfumées à la lavande.

Ou alors... ou alors, elle se présenterait simplement comme une institutrice en congé parcourant l'Europe pour son plaisir. Elle noterait toutes ses impressions et publierait des articles comme ceux qu'elle avait lus avec tant de plaisir dans des périodiques américains, français, canadiens même ! Journaliste ! Voilà, elle serait journaliste ! Une fois qu'elle se serait fait un nom, elle écrirait des romans que les éditeurs de New York, Londres et Paris s'arracheraient. Son œuvre serait traduite dans toutes les langues, et riche de ses droits d'auteur, elle roulerait carrosse. Encore une fois, les promesses de mariage afflueraient. La seule difficulté consisterait à choisir le meilleur parti. Il n'en tiendrait qu'à elle d'être comtesse ou l'égérie d'un grand poète ou d'un savant fortuné. Son avenir était tout imaginé, il ne lui restait plus qu'à se mettre en route.

C'est le jour du départ. Sa valise d'osier ne pèse pas lourd ; elle n'a pris que l'essentiel, décidée comme elle est à se procurer là-bas ce qui lui manquera, d'autant que ce qu'elle porte maintenant ne doit plus être très à la mode. Elle est décidée aussi à changer de coiffure ; elle ne sait pas encore cependant si elle aura la tête parisienne ou londonienne. Parisienne, ce doit être mieux, qu'elle se dit.

Elle a laissé la clé de l'ancien magasin au voisin, l'un des rares colons qui va rester encore un peu avant qu'arrivent les paysans du Danube ou des Carpates. Elle préfère ne pas être là quand ils vont arriver. Il paraît que ces gens vont vêtus de pelisses en peau de mouton qui ne sentent pas très bon et que même les femmes ont l'haleine forte. Ce qui lui fait penser qu'il doit y avoir plein de gens comme eux là où elle va. Elle chasse vite cette pensée en se rappelant que, dans les milieux où elle compte évoluer, dans ces grandes maisons où il y a le téléphone, par exemple, elle ne trouvera que du beau monde qui sent bon.

Première destination, la gare dans la plaine à un mille au sud du village. Il n'y a malheureusement plus personne chez elle pour l'y conduire. Ça ne fait rien, elle fera le chemin à pied, et en plus, il fait beau. C'est une fille de colons, dure à la peine, cette promenade ne lui fait pas peur, et elle aura le reste de sa vie pour s'attendrir en Europe. Allons, marche ! Paris, Francfort, Tolède, Belgrade… Lire, franc, drachme, rouble…

Elle a à peine fait quelques pas qu'une sombre pensée lui plisse le front. Et la langue ? Hein ? Eh oui, la langue ! On parle là-bas des langues qu'on a bien raison de dire *étrangères*. Les langues qu'elle parle elle-même sont sûrement étrangères là-bas aussi. Alors comment fera-t-elle ? Et pourquoi n'y a-t-elle pas pensé avant ?

Heureusement, un souvenir lointain vient effacer cette pointe d'angoisse. C'était un monsieur qui discutait avec son père au magasin et qui vantait la supériorité de la langue française. Il affirmait entre autres que le français était encore la langue de la diplomatie et que toutes les chancelleries d'Europe correspondaient en cette langue. Elle n'était pas bien sûre de savoir ce qu'était au juste une chancellerie, mais à en juger par la manière dont le monsieur avait prononcé le mot, ce devait être un lieu important. Chose certaine, se rappelle-t-elle, les gens bien parlent tous français en Europe ; elle devrait donc pouvoir faire son chemin là-bas, elle, la fille du négociant canadien et future femme de lettres à marier. La voilà rassurée, son front se déride aussitôt.

Elle est parvenue à la hauteur du cimetière. Elle s'arrête un moment. Elle doit bien une dernière marque de respect à ses parents, dont le labeur et les économies vont financer les aventures exaltantes qui feront un jour la matière de ses romans. Elle les bénit en silence. Elle a aussi une petite pensée pour ce jeune homme qui se trouve inhumé non loin de ses parents et qui aurait aujourd'hui au moins trente-six ans : un beau blond aux yeux verts qu'elle a aimé jadis en secret et qui est mort de la grippe. La seule fois où elle a discuté avec lui de choses sérieuses, il lui a dit que son nom flamand signifiait *franc cœur* en français. Elle fait le signe de la croix en murmurant son nom. C'est son adieu au village et à son passé. L'avenir prend alors pour elle la forme d'un train qui file à toute allure dans sa steppe natale.

Elle aperçoit la petite gare au loin et craint d'entendre à tout moment le sifflement de la locomotive. Pas question de rater le prochain train! Elle presse le pas, quitte à transpirer un peu plus, elle aura bien le temps de se rafraîchir à bord du train. C'est la première fois de sa vie qu'elle prend le train, et elle s'en veut un peu de n'avoir jamais voyagé auparavant. Elle a peur de passer pour une niaiseuse auprès des autres voyageurs; elle a peur qu'on profite aussi de sa naïveté. Mais elle se dit qu'elle n'a qu'à ne rien dire. Elle a hâte cependant de lâcher au premier curieux qui l'interrogera : « Moi? Je vais à Vienne. » Elle se promet de prendre un ton nonchalant et de regarder par la fenêtre en disant ces mots. Ça va lui clouer le bec, pense-t-elle. Ce sera un beau moment, tiens, et il y en aura d'autres comme celui-là! Drachme, florin, rouble, mark, lire, couronne, franc, livre… Dans son sac à main, la lourdeur bienfaisante de ses rouleaux de pièces d'or la rassure sur son avenir.

Un train siffle au loin! Vite! Vite! Dépêche-toi! Elle arrive tout essoufflée à la gare. Rien. Personne. Pas de train. Elle a pris son désir pour une réalité. C'est bien normal, pense-t-elle, depuis le temps qu'elle songe à ce voyage…

Pas de chef de gare en vue non plus. Elle frappe à la porte de son bureau. Personne. Elle n'ose pas entrer. Mais comment fera-t-elle pour acheter son billet? Elle se rassure : il paraît qu'on peut payer à bord. Et de toute façon, si le chef de gare n'y est pas, c'est qu'il ne doit pas y avoir de train prévu à l'horaire. Elle n'a donc pas manqué son train. Bon, elle attendra. Elle a le temps, et personne au monde ne l'attend.

Une petite faim la surprend. Prévoyante comme elle est, elle a pris soin de se munir d'un goûter : les deux œufs à la coque qui restaient dans la glacière, une tranche de jambon, deux pommes de l'an dernier, des biscuits et une petite miche de pain de sa dernière fournée. L'odeur de son pain est la dernière qu'elle a laissée dans la maison, et elle est partie en espérant qu'elle y flotterait jusqu'à la venue de son successeur afin que celui-ci s'y sente bien accueilli. (C'est son côté romantique et humain.) Elle a aussi un bout de chocolat. De quoi faire deux petits repas, mais elle voudrait bien garder le tout pour le train au cas où il n'y aurait pas de wagon-restaurant comme dans les récits de voyage. Elle n'ose pas entamer ses provisions, et sa retenue lui donne encore plus faim.

Elle est bien, cette petite gare. Le quai a été bien entretenu, mais le seul banc qui s'y trouve lui fait mal au derrière. Le bureau du chef de gare, où elle finit par s'introduire afin de s'asseoir dans un vrai fauteuil, a l'air bien tenu ; l'appartement de fonction attenant a l'air propre aussi, du moins d'après le peu qu'elle en voit par la porte entrouverte. Comme il n'y a résolument personne, elle va faire un tour dans le jardin que le chef de gare a aménagé dans la cour. C'est un jardinier consciencieux que cet homme, il compte occuper son poste longtemps, semble-t-il. Les sillons sont bien faits, accueillants pour les futurs légumes ; cette année, il récoltera des pommes de terre, des pois, des tomates, de la laitue. Les semis des pommiers ont bien pris. Au bout du jardin, une pompe donne sur un puits. Elle regarde autour d'elle pour s'assurer qu'elle est seule, et elle l'actionne pour se désaltérer. L'eau a à peu près bon goût. Tant mieux, il fait si chaud.

Ça y est! Un train siffle au loin! Elle se précipite sur le quai et se refait une beauté en vitesse. Le voyage, le vrai, va commencer. C'est un petit train, la locomotive et quatre wagons, mais il n'arrête pas. Il lui passe sous le nez, comme ça. Elle n'en revient pas. «Ben... et moi? qu'elle dit. Le conducteur ne m'a pas vue? Est-ce qu'il n'était pas obligé de s'arrêter, au moins quelques minutes?» Elle tape du pied de rage et tourne en rond quelque temps sur le quai. «C'est un scandale! Je me plaindrai! Et où il est, le chef de gare? J'ai deux mots à lui dire. Il me doit des explications. Il y a des années que j'attends ce train, moi!»

Personne ne vient. Elle s'assoit sur le banc toujours aussi dur et tempête encore quelques instants. «C'est pas possible... Pas possible... Il ne s'est même pas arrêté... Il est mieux d'en passer un autre bientôt, sinon...»

Elle se raisonne au bout d'un moment. «Le conducteur ne m'a peut-être pas vue, qu'elle se dit pour se calmer, mais sans trop y croire. Ou il avait quelque consigne qui lui interdisait d'arrêter. Il va bien en passer un autre, il en passe tout le temps. Tiens, on va casser la croûte, il est passé midi. Et puis, il fait beau au moins. Non, mais c'est vrai, il pourrait pleuvoir, et là, ce serait vraiment triste. Voyons les choses du bon côté, ça ne sert à rien de se fâcher.»

La nuit tombe. Elle a attendu toute la journée pour

rien. Elle a dévoré son goûter, il ne lui reste plus rien à manger et elle a encore faim. Le train ne passera pas aujourd'hui. Où dormir? Pas question de rentrer au village. Elle ne voudrait pas être surprise en chemin par une bande de coyotes affamés et être déchiquetée vive. Il ne doit pas y avoir de coyotes à Vienne et à Dresde; seulement du ballet et de la grande musique, là-bas.

Toujours pas de chef de gare. « Eh bien, se dit-elle, il va au moins m'offrir l'hospitalité; la compagnie de chemins de fer me doit bien ça. Elle ne veut pas m'envoyer de train? Très bien. Elle va m'accueillir pour la nuit, et je ne paierai rien, pas un sou!»

Elle pénètre dans le bureau et se permet d'allumer le charbon dans le poêle. Avec la nuit, le froid est revenu. Elle s'assoit dans le fauteuil pivotant du chef, derrière son bureau, et s'endort aussitôt. Ses rêves sont affreux. Elle songe toute la nuit à des Indiens qui la retiennent de force au Canada, eux avec qui elle s'est pourtant toujours bien entendue; elle revoit aussi des Métis de sa connaissance qui lui demandent en riant où elle va comme ça. Le soleil la réveille, et elle s'en veut aussitôt d'avoir fait des rêves aussi injustes. Elle fait sa toilette dans le jardin et ses besoins dans la bécosse. Au moins, il fait encore beau.

Un autre train passe vers les dix heures. Il ne s'arrête pas lui non plus, mais c'est moins grave vu qu'il allait dans la direction opposée à la sienne. L'habitude de l'attente s'installe tranquillement en elle. Elle n'en a que plus hâte de partir, cependant.

Elle se permet de visiter l'appartement de fonction

du chef de gare, qui est toujours aussi invisible. C'est propre et tout est bien rangé ; l'homme est sûrement marié ou l'a déjà été. Elle décide qu'elle dormira dans son lit ce soir s'il n'est toujours pas revenu. Pour le dédommager de son hospitalité involontaire, elle travaille un peu dans le jardin. Elle remarque que le poulailler et le clapier sont vides. Le reste de la journée se passe en somnolences intermittentes causées par sa mauvaise nuit d'hier.

Dans la nuit, un autre train passe, aussi vite que les deux précédents. Elle n'a pas entendu le sifflement et n'a pas eu le temps de se rhabiller, de toute façon. Elle se dit qu'elle a peut-être rêvé et se rendort aussitôt, mécontente une fois de plus.

Aussi bien le dire tout de suite, le train ne s'arrêta jamais pour la prendre, ni en direction ouest ni en direction est. Deux fois seulement, deux fois, il ralentit sa course à la hauteur de la petite gare et sembla presque faire halte, comme pour la narguer. La première fois, elle faisait caca dans la bécosse et n'en était sortie que pour voir le train repartir avec son sifflement moqueur. Elle en avait pleuré pendant deux jours. C'était si humiliant ! La deuxième fois, elle était toute nue et faisait sa toilette intime comme chaque fois à la fin de ses règles. Elle n'avait pas eu le temps de se rhabiller, le train avait déjà poursuivi sa route sans même siffler. Ce jour-là, elle rêva toute la journée de faire fortune afin d'acheter un jour la compagnie ferroviaire et de chasser tous les conducteurs qui étaient passés par sa gare.

Le chef de gare était sans doute disparu pour de

bon; ou peut-être qu'il était mort; sa halte avait dû être condamnée; c'était pour ça que plus un train n'arrêtait là, sauf pour se rire d'elle, on aurait dit. Ce qui l'intriguait, toutefois, c'était le fait que le chef de gare avait l'air de s'être absenté seulement pour quelques instants. Il y avait encore des vêtements d'hiver dans la penderie, et le garde-manger contenait de quoi soutenir un siège : riz, macaronis, conserves et confitures en tout genre, et plein de pommes de terre et de fruits sauvages dans la cave. Elle en vint même à ne plus se déranger lorsqu'un train passait, comme pour punir les propriétaires du chemin de fer.

Sans trop le vouloir, elle se fit une nouvelle vie à la gare. La fille de colons avait repris le dessus en elle, et elle s'employa à cultiver le jardin. Elle savait comment faire. Tous ses légumes poussaient haut et droit, et elle faisait du troc avec les Indiens, les Métis et les voyageurs de commerce qui passaient par là. Elle fit ainsi l'acquisition de quelques poules qui lui donnaient des œufs et du bon fumier; de quelques lapins aussi pour varier son ordinaire. Il y avait des plants de tabac dans le jardin, et elle comptait en cueillir les feuilles à l'automne pour les faire sécher pendant l'hiver, et elle aurait ainsi du bon tabac à pipe, excellente monnaie d'échange.

Aucun de ces commerçants de passage n'osait lui demander ce qu'elle faisait là toute seule. Peut-être la prenaient-ils pour la nouvelle épouse du chef de gare. Il faut dire qu'elle n'encourageait pas trop la conversation. Un jour, un monsieur plus entreprenant que les autres s'était permis de lui demander depuis combien de temps elle était là, et pour toute réponse, elle l'avait foudroyé d'un regard qui voulait dire Paris, Rome, Prague, franc, lire et couronne. Le monsieur était reparti sans demander son reste.

En juillet, alors qu'elle s'occupait des betteraves, elle entendit un air de violon si beau qu'elle crut avoir une hallucination. Elle leva la tête et aperçut un jeune homme qui avançait vers elle en jouant du violon. C'était un air tsigane, mais ignorante comme elle l'était, on lui aurait dit que c'était du Paganini qu'elle l'aurait cru. C'était une musique si jolie à entendre qu'elle en était devenue toute molle et avait perdu un instant la mine renfrognée qui l'enlaidissait depuis des semaines.

L'homme s'était approché de la clôture du jardin sans s'arrêter de jouer. Puis il s'était décoiffé pour s'incliner devant la jeune fille, qui avait alors regretté sa mise modeste de jardinière. Elle lui avait souri, toute flattée de son salut, et lui s'était mis à baragouiner dans un sabir que, manifestement, il prenait pour de l'anglais. « Monsieur, arrêtez, je ne comprends pas un mot… » Interloqué, le jeune homme avait bafouillé : « Mais, mademoiselle, vous parlez français ? Ici, dans cette plaine perdue sous le vent ? » Il avait un accent étranger, mais son français se tenait. Elle lui offrit d'entrer pour se rafraîchir un peu. « Merci, mademoiselle, justement, je venais de vous demander dans mon mauvais anglais la permission de me désaltérer à votre pompe. » Elle avait souri de nouveau, presque avec une envie de rire. Il faisait si bon parler tout à coup.

Ils firent connaissance vite fait. Il était roumain et avait beaucoup voyagé en Europe avant d'émigrer en Amérique. Elle lui demanda s'il était déjà allé à Berlin. « Non, mais je suis allé à Dresde avec mon père quand j'étais petit. Ce n'est pas loin de Berlin, vous savez ? C'est une belle ville dont les habitants sont tous très cultivés. » Il n'avait pas eu besoin d'en dire plus pour la séduire tout à fait.

Elle lui demanda d'autres détails. Il lui confia qu'il avait fait divers métiers, dont celui de maçon surtout, qu'il avait pratiqué en France après avoir quitté son pays natal pour éviter le service militaire. « C'était à l'époque de la guerre contre les Turcs. Moi, les Turcs ne m'avaient rien fait, et je n'avais pas l'âme d'un patriote. Alors je suis passé en Serbie ; de là en Italie, puis en France, le plus beau de tous les pays. » Mise en confiance, la jeune femme lui dit qu'elle comptait aller s'installer en Europe. Le jeune homme eut un air peiné. « Oh, n'allez pas là, mademoiselle. Il va y avoir la guerre bientôt. On ne parle que de ça. Tous les pays se mobilisent. Ils ne rêvent que de s'entre-tuer comme des chiens enragés. » Ces propos avaient crevé le cœur de la jeune femme, qui s'était alors surprise à penser que la vie était décidément contre elle. Plus de train, et maintenant la guerre ! Franchement... C'était injuste.

Le jeune homme lui avait redonné le sourire en reprenant son violon. Il en avait joué une bonne vingtaine de minutes, et pendant ce court récital, la jeune fille avait songé : « Vienne est venue à moi en la personne de ce jeune homme, avec sa musique et sa science de la beauté européenne… » Elle eut envie de pleurer plus d'une fois en l'écoutant, et à la fin du dernier morceau, elle était réconciliée avec la justice et la vie. Elle l'invita à rester à souper et à coucher. Il accepta et s'offrit pour faire la cuisine. « Je sais tout faire, mademoiselle, j'adore préparer des plats, et il y a si longtemps que je n'en ai pas fait. Fiez-vous à moi, mademoiselle. » Décidément, ce jeune homme était de plus en plus sympathique.

Le jeune homme resta sept jours, sept jours où il plut à boire debout. Le temps pour lui de la conquérir et pour elle de lui céder. Ce fut la semaine la plus courte et la plus longue de sa vie. Jeune femme le premier jour, elle était femme le septième jour.

Elle se savait naïve et n'en concevait aucune honte. Jamais elle n'avait vu ses parents se tenir la main ou s'embrasser, sauf au jour de l'An. Tout le monde au village était discret sur la question des rapports entre les sexes, et les plaisanteries égrillardes étaient mal vues. Les femmes s'éduquaient volontiers entre elles, et c'était ainsi, au hasard de quelque conversation un jour de lavage, qu'elle avait appris, à quatorze ans, qu'elle allait être réglée un jour ; une jeune mariée qui était enceinte lui avait expliqué le reste, sans rire une seule fois, comme si c'était la chose la plus naturelle du monde, ce qui est d'ailleurs le cas. Elle n'en avait été nullement horrifiée ; quelque part en elle, son corps devait savoir certaines choses, et le silence qu'on maintenait sur ces choses lui paraissait aussi naturel que l'acte d'accouplement lui-même. Mais elle n'avait jamais poussé la

34

curiosité plus loin, et à vingt-six ans, elle n'en savait pas plus qu'à quatorze. Certains jeunes hommes avaient attiré son attention, mais sans plus. Aucun ne lui avait fait d'avances ; on comprend pourquoi : dans ce village, cela se serait su, et l'on préférait parler mariage que fréquentations. Elle avait aussi dansé avec des garçons et même eu de longues conversations avec certains d'entre eux à l'occasion des diverses fêtes, mais c'était toujours au grand jour, avec témoins. L'air très sérieux qu'elle affichait et son statut d'institutrice, fille du prospère marchand général, avaient suffi à intimider tous les prétendants potentiels.

Mais là, il n'y avait plus de village. Elle n'avait plus de parents, elle était seule au monde, comme si elle s'était trouvée au début de la Création. Et il y avait devant elle un jeune homme enjôleur, pas laid du tout, aux belles manières, qui jouait du violon, savait dessiner et réciter des poèmes en trois ou quatre langues. Il ne savait pas écrire, comme il le lui avait avoué, mais ça ne se sentait pas du tout. En plus, il avait vu certains lieux dont elle rêvait et savait en parler avec émotion. Il savait Dresde et marks, Venise et lires. Il avait tout pour lui, quoi.

Il avait aussi le tour avec les femmes. Elle l'apprit plus tard : il avait été initié jeune homme en Italie par une veuve, mère de famille nombreuse, qui l'employait aux champs. Elle le faisait travailler comme un esclave de l'aube à la brunante pour montrer à ses autres employés la piètre opinion qu'elle avait de lui. La nuit, elle allait le trouver dans sa chambrette du grenier pour se faire pardonner sa dureté et lui redonner les forces qui reviennent avec le désir. Elle avait su s'y prendre avec lui : la harpie du jour au regard féroce se liquéfiait littéralement sous lui la nuit, tour à tour gémissante et balbutiante, luisante de larmes, de sueur et de rosée intime. Puis, au petit matin, elle enfilait sa chemise, et ses premiers mots pour lui étaient des injures : paresseux, bon à rien, métèque... Elle lui en voulait comme on en veut à ceux qui nous procurent des bonheurs que nous n'attendons plus. Puis elle lui ordonnait d'un ton sec d'aller traire les chèvres, ce qu'il faisait sans jamais manquer de saluer au passage le bouc, en qui il voyait un heureux confrère.

Cependant, la veuve ne s'était pas contentée de lui enseigner comment on aime un corps de femme, elle lui avait aussi épargné la mort en facilitant sa fuite. Car des jeunes gens du village, ayant eu vent des faveurs dont il profitait nuitamment, complotaient pour l'égorger, lui, le petit métèque qui faisait le bouc avec leur compatriote qui n'avait jamais voulu d'eux. Un soir, elle lui avait donné de l'argent et indiqué le chemin à suivre dans la montagne pour sauver sa peau, qu'il avait si tendre. Elle l'avait embrassé pour la dernière fois en lui disant : « Me voici veuve pour de vrai, maintenant. Que Dieu te protège, mon petit ange. »

Il était passé en France, où il avait appris le métier de maçon et où les filles de fermes et les servantes d'auberges avaient reconnu d'instinct son savoir-faire dans les airs de violon qu'il jouait pour elles. Depuis cette époque, il souriait à la vie et faisait sans cesse des progrès au violon.

À entendre parler les gens dans les cafés qui lisaient les journaux, il avait compris que la guerre était imminente, et c'était pour cela qu'il avait émigré en Amérique. Il hésitait encore entre deux destinations lorsqu'il était apparu à la petite gare isolée dans la steppe : le Klondike, où l'on disait qu'il y avait encore de l'or à prendre dans les cours d'eau et sous la terre, et San Francisco, où un garçon décidé dans son genre pouvait faire fortune aisément. Il ne savait pas très bien ce qu'il allait faire du reste de sa vie, mais il avait la certitude qu'il y avait du bonheur à trouver partout où l'on va, en Amérique ou ailleurs.

Il avait été bien content de trouver refuge chez la jeune femme après avoir fait si mauvaise route pendant longtemps. La traversée de la steppe n'avait pas été facile, et le temps était sans pitié pour le marcheur émérite qu'il était. En voyant la jeune femme seule, il n'avait pas du tout pensé à mal ; il avait bon cœur et n'était pas du genre à abuser d'un être sans défense. Il y avait aussi que la jeune femme ne lui plaisait que moyennement ; il avait connu mieux. Mais la curiosité de la demoiselle pour le monde dont il était issu l'avait un peu attendri, et pour la remercier de son accueil, il lui avait dit tout ce qu'il en savait, sans jamais exagérer. Toutefois, pour la protéger contre elle-même, il avait aussi cherché à la dissuader d'aller là-bas. Il lui disait des fois : « Attendez un peu, mademoiselle. Laissez passer la guerre, vous irez après. » Mais il voyait bien que ses avertissements lui assombrissaient l'humeur, et il se reprenait aussitôt en parlant couronnes, Prague, tour Eiffel et pont de

Londres. Il la sentait s'amollir tout de suite sous l'effet de ces mots magiques. Il lui avait aussi causé le plus grand des plaisirs en faisant son portrait au fusain, et elle s'était trouvée belle, elle qui n'avait jamais été photographiée de sa vie et ne s'était jamais vue en image.

Un soir où les accents de son violon avaient été particulièrement langoureux, car il jouait en pensant à la veuve italienne, elle avait été étonnée de penser à ce qu'il répondrait si elle lui demandait de l'embrasser. L'envie lui en était venue, tout naturellement. Étendue dans son lit, alors que lui dormait par terre enroulé dans une couverture, elle s'était dit que si elle voulait un jour dépeindre la vie des hommes dans les magazines qui l'emploieraient et composer des romans où l'amour serait à l'honneur, il lui faudrait bien au préalable acquérir quelques rudiments de la vie sensuelle. Des pensées lubriques avaient alors pénétré sa somnolence, et elle avait éprouvé un certain contentement à se sentir humide. Elle avait ensuite dormi comme une bienheureuse.

Au milieu de la nuit, il l'avait réveillée d'une voix plus douce que de coutume. « Il fait froid par terre. Est-ce que je peux me réchauffer à côté de toi ? Tu n'es pas obligée de dire oui... » Sans ouvrir les yeux, elle avait répondu : « Moi aussi, j'ai froid. » Ce n'était pas la vérité vraie, mais bon, on ne fait pas le mal en faisant la charité, qu'elle s'était dit pour étouffer les pensées confuses qui menaçaient de la réveiller tout à fait. La vérité, c'était qu'elle voulait dormir avec lui.

Ils avaient bien essayé de dormir un peu, mais le

désir avait été plus fort que la fatigue. Ils n'avaient pas été longs à s'embrasser et à se caresser. Elle était ainsi allée de surprise en surprise, chacune plus agréable que la précédente. Au petit matin, elle était tellement stupéfiée qu'elle n'était pas bien sûre d'avoir fait ce qu'ils avaient fait tous les deux. Ça s'était passé si simplement qu'elle n'était plus certaine de rien. Elle ne ressentait aucune douleur, juste la sensation étrange d'avoir sauté dans un précipice sans se faire le moindre mal. Elle avait eu alors une pensée pour ses parents, ses anciens concitoyens et l'inspecteur des écoles, qui n'auraient pas approuvé sa conduite, mais comme elle était seule à savoir, elle s'était vite pardonné.

Elle s'attendait à ce que le jeune homme lui témoigne de la froideur au matin, car elle avait entendu dire que les hommes méprisaient les femmes qui se donnaient vite. Au contraire, il avait été plus charmant que jamais, et son sourire avait fortifié sa certitude de ne pas avoir péché.

Le jeune homme resta encore deux jours, et ils le firent six fois. Le reste de sa vie durant, elle allait se souvenir de chaque fois dans les moindres détails, sans le moindre remords. Une seule chose allait la chicoter, cependant. Elle lui avait demandé au moment où il allait la pénétrer la deuxième fois s'ils ne risquaient pas de faire un enfant ainsi. Il lui avait répondu qu'il connaissait un secret pour éviter ce genre d'accident de la nature : plus elle y prendrait plaisir, plus elle exprimerait son contentement par des gémissements et des cris, si plaisir il y avait, bien sûr, plus le risque s'amenuiserait.

C'étaient les femmes passives et soumises, lui avait-il expliqué avec le plus grand sérieux pendant qu'il la doigtait suavement, qui couraient le plus grand risque de tomber enceintes du premier venu. Bientôt, n'y tenant plus, elle avait presque rugi : « Viens ! Entre là ! » Dans les réflexions qu'elle s'était faites le lendemain pendant la journée, elle s'était mise à douter un peu de la validité scientifique de ses affirmations, mais comme elle ne demandait pas mieux que de le croire et que, justement, elle aimait tout ce qui lui arrivait et ne se privait pas de le lui faire savoir, elle avait accepté de faire comme si c'était vrai. Lui-même était convaincu du bien-fondé de sa théorie : il se rappelait trop bien la veuve italienne, qui n'était pas tombée enceinte de lui, pour ne pas penser que les choses devaient se passer comme ça.

Elle ne versa pas une larme quand il s'en alla. Elle n'osa même pas l'embrasser sur le quai de la gare. C'était parce qu'il faisait jour et qu'elle s'était habituée à le désirer dans le noir. Au grand jour, là, sous le soleil de juillet, il lui paraissait indécent d'embrasser un homme avec qui elle avait joui avec tant d'ardeur et d'abandon. Il avait décidé pour sa part qu'il irait à San Francisco ; il avait donc pris la route du Sud. Au loin, il s'était retourné vers elle et s'était décoiffé pour la saluer. Après, elle s'était mise à pleurer comme une bonne, non pas parce qu'il lui manquait déjà, mais parce qu'elle avait remarqué les fleurs sauvages qui commençaient à pousser entre les rails. Le train ne passerait plus jamais par là.

Dans les jours qui suivirent, elle réfléchit longuement aux moments qu'elle avait vécus avec le jeune violoniste roumain. En fait, elle y pensa le reste de sa vie. Et plus tard, quand elle repassait dans sa tête les six scènes où ils s'étaient accouplés, elle aboutissait immanquablement à la même conclusion : que c'était la quatrième fois qu'elle était tombée enceinte. C'était cette fois-là, pas de doute. Une femme sait ces choses-là. Un homme moins.

Jamais elle ne reçut le moindre signe de lui. Il avait beau être cultivé à sa manière et avoir vu l'Europe, il était illettré, alors quand bien même il aurait eu son adresse, il n'aurait pu lui donner de nouvelles sans passer par un intermédiaire. Jusqu'à la fin de ses jours, elle se plut à l'imaginer heureux en Californie ou ailleurs, marié, ayant charge d'âmes, prospère et généreux. Jamais elle ne parvint à lui en vouloir le moindrement d'être parti après l'avoir faite mère. C'était son destin à elle, qu'elle se disait pour mieux pardonner, le sien, et elle avait suffisamment confiance en elle-même pour se tirer d'affaire.

Toutefois, naïve comme elle l'était encore, elle mit un certain temps à se rendre compte de son nouvel état. Elle imputa ses premières nausées à la qualité de l'eau du puits. Le retard de ses règles ne l'alarma aucunement : elle n'avait jamais été régulière. Et puis, elle avait tellement joui, surtout la quatrième fois, que ça ne se pouvait tout simplement pas que, et le jeune homme lui avait assuré que, alors… La pensée qu'elle était enceinte ne l'effleura même pas.

Un matin, elle venait de vomir son cœur et son âme dans le jardin quand elle entendit des bruits qui se rapprochaient. Des bruits rassurants, cependant : clochettes, hennissements, voix humaines très enjouées. Elle se demanda de qui il pouvait bien s'agir. Elle rendait volontiers service aux rares voyageurs qui suivaient le chemin de fer désormais inutile. Parfois elle leur offrait à manger moyennant paiement. Elle faisait aussi du troc avec les Indiens ou les Métis, qui vénéraient en elle l'ancienne institutrice. Ce jour-là, elle espéra quelques instants l'arrivée d'un autre violoniste roumain, mais elle écarta vite cette idée en se disant que ce n'était pas possible, qu'un bonheur ne peut pas venir deux fois de suite comme ça, sauf peut-être en Europe, et encore...

Les voyageurs étaient nombreux, au moins une quarantaine. Le groupe s'arrêta non loin de la gare, et celui qui semblait être leur chef vint à sa rencontre. Spontanément, elle lui dit : « Bonjour, monsieur. » L'homme eut l'air ravi : « Ah, à la bonne heure, mademoiselle ! » Il lui expliqua qu'il avait séjourné en Belgique quelque temps et qu'il était de cette société de colonisation ukrainienne qui avait acheté toutes les terres du village d'où elle était originaire. Il avait été l'un des principaux négociateurs dans cette transaction. Il lui demanda si le village était encore loin, si ses gens pouvaient prendre un peu de repos autour de la gare, et si les chevaux pouvaient s'abreuver à son puits. Elle dit oui à tout et lui proposa même de le guider jusqu'au village le lendemain et de lui dire tout ce qu'elle savait sur la région. L'homme lui était très sympathique. Le groupe campa sur place pour la nuit, et le lendemain, elle monta dans le chariot de tête pour conduire les immigrants à son village natal.

La journée se passa fort bien, il faisait beau, mais elle eut le cœur serré à quelques reprises en voyant ces étrangers prendre possession du seul lieu sur terre qui lui était familier. L'homme de la veille, qui lui servait d'interprète, était le même qui avait acheté le magasin général où elle avait grandi, et elle refusa de le voir s'y installer. Elle n'était plus chez elle et en ressentait un certain chagrin qu'elle ne pouvait pas s'expliquer, elle qui pourtant avait voulu partir de là pour toujours.

Le soir venu, l'homme s'offrit à la raccompagner à la gare. (Lui aussi l'avait découragée d'aller en Europe : « Il y a la guerre là-bas, maintenant, vous ne le saviez pas ? L'Angleterre, la Russie et la France contre l'Allemagne et l'Autriche-Hongrie. Ça va être terrible. Le Canada est en guerre, lui aussi. C'est pour ça d'ailleurs qu'il n'y a plus de trains ici. Ils sont tous réquisitionnés. » La nouvelle lui avait fendu le cœur. Avait-elle rêvé pour rien ? Elle n'avait pas su quoi lui répondre. Son village lui était désormais étranger et la porte du monde lui avait été fermée au nez. Elle avait eu hâte d'être seule afin de pleurer tranquille.)

Avant de monter dans la carriole qui devait la ramener à la gare, elle avait souri à une vieille dame qui la fixait depuis un moment. La dame s'était approchée d'elle et lui avait caressé la joue en prononçant des mots doux. Elle s'était tournée vers l'homme pour qu'il traduise. Il avait rougi : « Elle dit que ce sera un garçon et que vous serez une petite mère heureuse.» Le monde de la jeune femme avait alors pris une couleur inattendue. Pendant des jours après cela, quelques phrases, toujours les mêmes, s'étaient bousculées dans sa tête : « Me voici entourée d'immigrants et je vais avoir un enfant. Cet enfant va émigrer de moi. Moi, l'émigrante immobile…» Elle avait des moments de confusion affolante, à laquelle se substituait aussitôt une résolution sereine, et il lui fallut un peu de temps pour retrouver un équilibre qui ne la quitta plus jamais, car c'était une femme de tête.

Elle finit par reprendre sa vie comme si de rien n'était, cultivant son jardin, soignant ses poules et ses lapins, popotant, fricotant comme tous les colons. Pour se distraire, elle allait souvent au village aider ses nouveaux amis à s'installer. Un jour, elle permit à celui qu'elle appelait dans sa tête le chef du village de la raccompagner. Ils parlaient de tout et de rien lorsque, étant parvenus à la hauteur du cimetière, elle lui dit que ses parents y étaient enterrés ainsi qu'un certain jeune homme, et elle avait cessé de parler brusquement sous le coup d'une émotion qui lui venait du souvenir d'un air de violon. Le chef du village s'était alors décoiffé et avait murmuré ce qui ressemblait à une prière.

De cet épisode naquit la légende selon laquelle le mari de la jeune femme, chef de gare de son état, était mort juste avant la guerre d'un tragique accident du cœur. Cette explication, à laquelle le chef du village croyait dur comme fer parce que c'était ce qu'il avait compris, devint la vérité à force d'être répétée.

Il n'y avait toujours pas de train, et comme son état ne lui permettait plus de gagner la prochaine ville à pied, elle avait décidé d'accoucher là où elle avait fait son enfant. Elle aviserait après pour la suite des choses. L'automne venu, le chef du village vint la voir : « Madame, vous ne pouvez plus rester ici. Nous en avons discuté entre nous. Une future petite mère a besoin d'être entourée. Ma femme et moi allons vous faire une place chez nous. Vous reprendrez votre ancienne chambre, d'accord ? Vous avez été si bonne pour nous, vous nous avez tant rendu service, nous vous devons bien cela. Pas besoin de payer. Venez. » Elle l'avait suivi par amour pour l'enfant qui bougeait en elle, mon père.

Elle s'était vite habituée à son nouvel entourage. Ils étaient tous très prévenants envers elle, car elle leur servait d'interlocutrice auprès des représentants des autorités : le gendarme de la Police montée qui était venu voir si leur installation se passait bien, l'agent des terres fédéral, le vétérinaire de l'administration provinciale. Elle était la seule personne du village à parler anglais, ressource précieuse.

Son fils fut le premier-né du village et sa naissance fut célébrée dignement. Elle le prénomma Alexandre, comme son père, le violoniste roumain (dont elle ignorait cependant le nom de famille). C'était elle qui servait alors de greffière bénévole du village, et à ce titre elle était chargée de tenir les registres de l'état civil. Elle profita de sa position pour donner un peu de lustre à l'extrait de naissance de son enfant. Sous le nom du père, elle écrivit celui du beau jeune homme blond aux yeux verts qu'elle avait jadis aimé de loin, qui reposait au cimetière et que l'on prenait pour feu son mari.

L'année suivante, l'inspecteur des écoles réapparut au village, toujours aussi fringant et enthousiaste. Ravi de revoir la jeune femme, aussi, à qui il offrit ses condoléances pour son mari mort au champ d'honneur. (C'était le chef du village qui lui avait raconté cette fable parce qu'il trouvait la mort au combat plus belle que l'accident cardiaque.) L'inspecteur annonça à la communauté assemblée que l'école allait rouvrir étant donné qu'il y avait assez d'élèves pour cela. Restait à trouver une maîtresse d'école, détail qu'il avait ajouté en coulant un regard suppliant vers la jeune femme, qui avait baissé les yeux.

Après l'assemblée, l'inspecteur alla la trouver et lui fit savoir qu'il n'avait jamais accepté sa démission et l'avait simplement mise en congé. Elle pourrait reprendre son service quand elle voudrait. Aurait-elle la bonté d'accepter? qu'il lui demanda, on a tellement de mal à trouver des professeurs, surtout depuis le début de la guerre. Déjà que c'était difficile avant… Elle répondit qu'elle allait y penser, mais en sachant dans son cœur qu'elle dirait oui parce qu'elle aurait besoin de ce revenu pour élever son fils.

Elle reprit son poste en septembre. L'inspecteur avait toutefois imposé une condition nouvelle : il n'était plus question de faire la classe en français. Désormais, il faudrait respecter la volonté du gouvernement provincial. Les gens de la place voulaient aussi que leurs enfants apprennent l'anglais, vœu bien compréhensible. La jeune institutrice promit d'obtempérer.

La petite mère, comme l'appelaient désormais les nouveaux villageois dans la langue de leur pays, ne tarda pas à retrouver son prestige ancien de maîtresse d'école. Elle se lia rapidement avec tous les parents d'élèves. Comme elle était l'une des rares personnes à savoir lire et écrire l'anglais, elle resta longtemps la greffière attitrée du village, ce qui ne fit qu'accroître son autorité. Quant à son fils, seul qu'il était parmi tous ces enfants ukrainiens, il maîtrisa vite leur langue et devint l'interprète de sa mère auprès d'eux. Mon père devait dire, des années plus tard : « Interprète ? C'est un métier facile, ça. Je faisais ça quand j'étais haut de même ! »

Dans son âge avancé, il arrivait parfois à ma grand-mère d'avouer, bien à contrecœur cependant, que ces années avaient été les plus belles de sa vie. Elle avait aimé être mère en même temps qu'une sorte de mère pour tous ces nouveaux arrivants, qui faisaient appel à ses services quand ils avaient à discuter avec les autorités. Et quand elle racontait cet épisode de sa vie, il lui plaisait de conclure en disant que l'enfant et l'immigrant ne font qu'un, l'un et l'autre doivent être traités avec douceur et prévenance. Et elle ajoutait au bénéfice des jeunes gens qui l'écoutaient encore : « Vous voulez réussir dans la vie ? Conduisez-vous comme un immigrant loin de son pays, qui n'a d'autre choix que de réussir. »

Les années filèrent, toutes semblables les unes aux autres. Elle aimait son fils, son fils l'aimait. Elle s'entendait bien avec ses nouveaux compatriotes et ne leur reprochait qu'une petite chose : le fait qu'ils venaient de lieux qu'elle avait voulu voir et dont ils ne pouvaient rien lui dire, sauf son ami, le chef du village devenu maire depuis son arrivée, qui avait une fois changé de train à Cologne et avait entrevu sa célèbre cathédrale mais n'avait pas eu le temps d'y entrer. Il avait traversé la France et la Belgique et avait un beau souvenir de Liège. Son savoir s'arrêtait là.

Elle, en revanche, n'avait rien perdu de son goût pour la lointaine Europe. Après la guerre, elle s'abonna à tout plein de revues qui traitaient du gratin de l'Europe noble, et elle se procura même des livres de généalogie pour démêler les Hohenzollern des Habsbourg. Elle pouvait nommer d'un trait tous les rois et empereurs du vieux continent et vous dire si la princesse de Naples était apparentée ou non au comte de Paris. Comme tout le monde, elle eut le cœur serré au récit des dévastations de la guerre et devint résolument pacifiste le jour où elle apprit que les empereurs d'Allemagne et d'Autriche-Hongrie avaient été contraints d'abdiquer. « C'est à cause de la guerre ! La guerre est une chose stupide, et les hommes qui la font sont stupides eux aussi ! » avait-elle gémi. Elle trouva sa consolation dans la lecture d'ouvrages historiques qui éclairaient son savoir héraldique. Science inutile dans son pays, bien sûr, mais si bienfaisante à retenir dans son petit monde intérieur.

Elle aimait toujours faire la classe aux petits. Les élèves lui rendaient volontiers son affection et ne s'apercevaient pas trop de son ignorance. Elle faisait de son mieux ; eux aussi. L'inspecteur des écoles lui rendait encore visite une fois l'an, les interrogeait, elle et les enfants, et prononçait régulièrement son éloge dans son rapport annuel.

Une année, elle le trouva changé, un peu vieilli, même. Sa femme était malade, elle qui n'avait jamais été bien forte. Les poumons. Quelque temps après son départ, elle lui avait écrit un mot pour l'encourager dans cette épreuve. Il lui avait répondu. Noël approchant, elle s'était permis de lui adresser ses meilleurs vœux. Il lui avait répondu par une longue lettre, qu'elle avait laissée sans réponse pendant longtemps par égard pour sa femme. À Pâques, nouveaux vœux, nouvelle réponse de l'inspecteur, mais seulement vers le début de l'été. L'automne venu, il avait dû annuler sa visite annuelle, les soins à sa femme requérant presque tout son temps ; il s'était même fait mettre en congé pour s'occuper d'elle, qu'il lui avait écrit. En janvier, il lui écrivit pour lui annoncer que sa digne épouse était morte en vraie chrétienne. Le mot de condoléances appuyé qu'elle lui envoya inaugura une correspondance suivie.

Un jour d'août, quatre ans après la fin de la guerre qui lui avait dérobé ses rêves de jeunesse, elle eut la surprise de voir l'inspecteur frapper à sa porte. Il était venu par train, la liaison ayant repris et la petite gare étant dotée d'un nouveau chef qui bénissait ses prédécesseurs d'avoir planté de si beaux pommiers. Mais… mais c'étaient les vacances! Qu'est-ce qu'il faisait là? Il demanda à lui parler en privé, dans l'école vide de préférence. Il n'y tenait plus : il était amoureux d'elle et voulait l'épouser. Il avait été promu directeur général au ministère de l'Éducation et avait cessé d'être, techniquement, son supérieur hiérarchique. Il avait donc les mains libres pour agir, en quelque sorte. Elle lui répondit qu'elle était flattée, très flattée, mais elle avait un fils de sept ans… Les gens parleraient… « Ils ne parleront pas! J'en fais mon affaire. Je n'oublie pas non plus que c'est le fils d'un combattant mort pour la gloire de son pays. Je vous prends telle que vous êtes, et je serai le papa de cet enfant. C'est vous dire combien je tiens à vous! » Elle demanda à réfléchir même si c'était tout réfléchi.

Elle avait vite calculé qu'elle ne pouvait se permettre de laisser passer un si beau parti. Il était plus âgé qu'elle, certes, mais pas tant que ça, et il avait belle allure. Une belle situation, un beau passé, un bel avenir, une maison à Edmonton. Son fils pourrait aller au collège et, sait-on jamais, elle irait peut-être un jour en vacances en Europe au bras de son mari? Tout le village, en tout cas, approuva son projet de mariage, même si on allait la regretter. La noce, fort discrète, eut lieu à Noël, à Edmonton.

Elle ne quitta pas l'enseignement pour autant. Elle se mit à suivre des cours le soir pour passer son baccalauréat, ce qu'elle fit huit ans plus tard. Elle fut nommée directrice d'école. Son mari poursuivit son ascension et finit sous-ministre de l'Éducation. Les deux formèrent sans tarder un des couples les plus en vue de la capitale provinciale.

Leur bonheur n'avait fait qu'un malheureux : le petit garçon, qui avait eu bien de la peine de quitter sa communauté ukrainienne ; et toute sa vie il parla cette langue avec plus d'aisance que le français ou l'anglais. Son beau-père réussit à l'apprivoiser à la longue, mais il ne put jamais le convaincre de prendre son nom, affront qu'il oublia de bon cœur car il aimait l'enfant.

Quand il eut douze ans, sa mère le fit mettre dans un collège français de la Saskatchewan, ce qu'il ne lui pardonna que quarante ans plus tard, je pense. Après la Saskatchewan, ce fut le collège universitaire de Saint-Boniface, au Manitoba, dont il sortit bachelier à vingt ans. Toute sa vie, il resta comme déraciné et en punit sa mère en tournant résolument le dos à huit ans de latin et six ans de grec ainsi qu'à toutes les carrières dont elle avait rêvé pour lui. Il préféra les métiers manuels, où il excellait, d'ailleurs, et se fit dessinateur industriel à Winnipeg d'abord, puis à Toronto. Sa mère en fut mortifiée : elle qui l'aurait tant préféré avocat, et plus tard juge, lui adressa de vifs reproches pendant des années. « Si seulement tu avais voulu... » était le début obligé de toutes ses remontrances. Elle ne manquait jamais non plus de mentionner que son époux, comme elle disait, le sous-ministre de l'Éducation, était aussi déçu qu'elle.

Elle se trompait sur ce dernier point. Monsieur le sous-ministre de l'Éducation n'était nullement déçu ;

au contraire il était ravi, car la moindre frasque du jeune homme le revêtait de la puissance dévolue au consolateur, et il savourait cette illusion qu'il savait pourtant passagère. Brave comme il était, d'ailleurs, il n'abusait pas du beau rôle où le jeune homme le plaçait, et il s'efforçait chaque fois de ramener la mère à de meilleurs sentiments à l'égard du fils rebelle. « Nous sommes des éducateurs, toi et moi, lui disait-il par exemple, et nous savons que les métiers manuels sont nobles et beaux. Rendu qu'il est heureux… » La maman ne se faisait jamais faute de le remercier de ces sages conseils qui la réunissaient à son fils. Le sous-ministre ne s'en trouvait que plus aimé.

Le pire, pour ma grand-mère, fut de voir papa traiter avec dédain sa science héraldique. Quand il allait chez elle en vacances, il affectait un air distrait au moment où elle l'entretenait des derniers malheurs de la famille royale anglaise. Il alla même très loin le jour où elle lui annonça la mort du prince Paul de Yougoslavie : « Ah, tiens ! J'étais pas au courant. Ça me fait de la peine. Je pensais à lui depuis quelque temps, et je me demandais ce qu'il faisait de bon. » Ma grand-mère avait quitté le salon, offusquée. Elle avait tort, pourtant : il traitait ainsi tous les savoirs étrangers à son métier. Un jour où on lui avait demandé devant moi s'il connaissait Victor Hugo, il avait répondu : « Victor Hugo ? Je le connais très bien. C'est un gars de Drummondville, ça ! Vous saviez pas ? » Ma mère avait réprimé son sourire pour le gronder un peu. « Fais attention, Alexandre, les enfants pourraient te croire et aller répéter ça ailleurs. »

Il avait juste ri deux fois plus fort. Non, lui, ce qui l'intéressait, c'étaient les machines, les outils, la métamorphose de la matière sous la main de l'homme. Et jamais, jamais, il ne ratait l'occasion de se moquer du beau monde ; il adorait toutes les blagues grasses mettant en scène le marquis de Çanmon-q et la baronne Demaideu.

Mon père n'a jamais voulu vivre en Alberta. Il a beaucoup voyagé au Canada, puis, quand le pays a déclaré la guerre à l'Allemagne, il s'est engagé, déclenchant une nouvelle guerre épistolaire avec ma grand-mère. Elle lui avait fait des reproches bien sentis, après quoi elle ne lui avait pas écrit pendant un an. Puis elle s'était vengée en préfaçant toutes ses lettres d'un couplet sur le prince de Monaco ou les amours de Marie Bonaparte.

Mon père était tout de suite devenu officier étant donné son instruction. Puis il avait appris à piloter un avion. Pendant des années, il a bombardé la chère Europe de la petite mère. Je ne crois pas qu'il ait pris part au bombardement qui a ravagé la beauté de Dresde, et ce n'est pas lui non plus qui a mutilé la Gedächtniskirche de Berlin, mais ma grand-mère l'en a quand même tenu pour responsable. Des années après la guerre, elle expliquait les choses à sa façon : « Monsieur Hitler, avec son culte criminel de la beauté — vous savez, l'exaltation de l'enfant blond aux yeux bleus, sa haine de la soi-disant laideur juive —, a provoqué chez l'ennemi la répulsion pour la beauté, et c'est pour ça qu'on a détruit toutes ces merveilles architecturales. La beauté a fait la guerre à la beauté. Voilà bien la stupidité des hommes. Si on avait gardé l'empereur Guillaume, aussi!» Mon père se moquait assez méchamment de ses raisonnements.

Il avait un autre point de vue. Vers la fin de la guerre, son avion avait été abattu, et il s'était sauvé de justesse en parachute. Il avait été fait prisonnier et avait été traité très durement dans un stalag pendant de longs mois. Les Américains ayant libéré son camp, il avait été rapatrié par train, et ce qu'il avait vu de l'Europe anéantie l'avait dégoûté pour toujours des charmes du vieux continent. Il valait mieux ne pas trop parler de l'Europe devant lui, surtout si l'on s'en faisait une image idéalisée.

La guerre terminée, il était rentré au Canada après un long séjour dans un hôpital anglais. Démobilisé, il avait répondu à l'invitation d'un ancien supérieur de l'Aviation royale qui était devenu directeur du personnel au Parlement, à Ottawa. Il avait aussitôt aimé cette petite ville tranquille où il avait déjà séjourné plus d'une fois avant la guerre. Son ami, qui l'hébergea quelque temps, lui offrit un poste au service de l'entretien. Il accepta avec reconnaissance et resta fonctionnaire jusqu'à sa mort, trente-quatre ans, huit mois, deux semaines et trois jours plus tard.

(Mon père a fait une carrière très correcte. Pendant les quinze dernières années de sa vie, il était directeur des travaux d'entretien au Parlement; il avait sous ses ordres une centaine d'employés qui veillaient à tout, du chauffage à la réfection de la maçonnerie. Enfant et plus tard jeune homme, j'aimais aller le voir dans son grand bureau de l'édifice de l'Est. Sa secrétaire nous recevait toujours avec les plus grands égards, et j'adorais voir ses employés le traiter avec déférence ; et lui, il avait l'air bon, humain et patient avec eux. Il me faisait penser à ces rois bienfaiteurs qui habitaient les livres d'images de la bibliothèque publique de la rue Rideau. Pendant des années, il m'est arrivé souvent dans mon travail de rencontrer d'anciens collaborateurs à lui qui en disaient le plus grand bien. « C'était un bon gars », déclaraient-ils, ce qui, dans notre société volontiers égalitaire, est l'ultime compliment.)

Ayant trouvé une situation, il ne lui manquait plus qu'un logement pour se lancer définitivement dans sa nouvelle vie. Son ami lui avait dit qu'une dame Lemelin, la femme d'un ami à lui, louait des chambres dans sa maison de la basse-ville. C'était la première porte à laquelle il était allé frapper, un samedi, vers midi, au carré Anglicy (qui s'écrivait *Anglesea* mais qu'on prononçait à la française).

« Entrez, monsieur, entrez. Comment vous appelez-vous ? Vous cherchez une chambre ? Pauvre vous, j'en loue plus, mes deux garçons sont revenus de la guerre. Le bon Dieu est bon, vous savez ? Jacques était dans la marine, Robert était dans l'aviation. Vous aussi ? L'avez-vous connu ? Robert Lemelin, un beau grand garçon, un peu dans votre genre. Non ? Ça fait rien. Assoyez-vous. Non, pas dans le salon, à table avec nous autres. J'ai fait de la bonne soupe. En voulez-vous ? » Le timide Alexandre Francœur, le fils d'un certain compositeur roumain, n'avait pas su résister à tant de charme. Il avait alors fait connaissance avec la moitié des dix enfants de la famille, dont la sixième, Annette, qui ne parlait pas autant que les autres et qui avait des yeux de chat.

Pendant le repas, Mme Lemelin lui avait dit : « Vous irez voir Mme Logan. C'est une de mes amies. On est toutes les deux chez les Dames de Sainte-Anne ; nos maris sont chez les Chevaliers de Colomb. C'est une femme qui a eu ben de la misère dans la vie mais qui tient sa maison propre. On pourrait manger par terre dans la toilette sans ramasser de microbes. Mais pas de folies chez elle. Elle prend juste des pensionnaires tranquilles. Ses enfants sont tous partis, c'est pas comme les miens. Vous allez être bien, là. Tout à l'heure, après dîner, je vais lui téléphoner pour voir s'il y a une chambre de libre chez elle. » Alexandre lui avait promis d'y aller.

Le pauvre avait été séduit impitoyablement. Il s'était tout de suite senti bien au sein de cette famille nombreuse qui aimait rire. Mme Lemelin lui avait dit au moment où il s'était levé pour partir : « Tu peux revenir chez nous n'importe quand, Alex. Pas besoin d'invitation ici. Il y a toujours du monde à maison. Si tu t'ennuies de chez vous, gêne-toi pas. Pis c'est ma fête dimanche, ça fait que reviens. Je te présenterai aux autres de la famille et à mon frère qui est prêtre. Il a été missionnaire chez les Indiens dans l'Ouest. Vous aurez sûrement des choses à vous dire… » Il ne l'écoutait déjà plus : il pensait à Annette avec ses yeux de chat, qui souriait, pour rien, juste comme ça.

La maison de Mme Logan ne lui plaisait pas beaucoup, mais il y prit une chambre quand même afin de ne pas déplaire à Mme Lemelin. Le dimanche suivant, il débarquait chez les Lemelin avec un bouquet de tulipes pour madame grâce auquel il espérait impressionner Annette. C'est à elle d'ailleurs qu'il demanda si elle avait un vase pour les mettre. Elle se reprocha sa réponse jusqu'à la fin de ses jours : « Un vase? Je suis pas sûre qu'on ait ça dans maison. Mais j'ai un pot. Ça ferait-ti pareil? » Deux de ses frères avaient baissé la tête en réprimant un sourire. Au moins elle n'avait pas prononcé le *t* dans *pot,* comme dans : « J'ai un potte. Ça ferait-ti pareil? » Heureusement qu'elle avait dit *pot* comme dans *peau,* autrement, elle aurait fait rire d'elle et le descendant du compositeur roumain l'aurait trouvée commune et serait allé voir ailleurs. C'est ce qu'elle a toujours cru, en tout cas.

Il devint vite évident qu'on appréciait le jeune Francœur. Sa retenue foncière apportait un peu de calme dans ce foyer bruyant. On le soupçonnait bien sûr de s'être entiché d'Annette, mais en vérité, il était tombé amoureux de toute la famille, surtout des plus jeunes, qui étaient tannants mais drôles. Au contact des Lemelin, qui parlaient tous tout le temps et en même temps, il avait mesuré ce qui avait manqué à l'enfant unique qu'il avait été et au collégien esseulé dont il avait un si mauvais souvenir. À l'âge de trente ans, il avait l'impression de vivre l'enfance qu'il avait voulue. Pourtant de nature susceptible, il avait vite pris goût aux taquineries qu'on échangeait couramment dans la famille, et il lui arrivait même des fois de trouver spontanément de bons mots que tous répétaient après. Bref, il était enfin arrivé chez lui, et il ne voulait plus en repartir. Il aimait même la cuisine de ma future grand-mère, qui était pourtant bien ordinaire.

Un samedi matin, il entra chez les Lemelin par la porte de derrière, comme tous ceux qui ne sont pas de la visite, et eut le bonheur de trouver Mme Lemelin seule, ce qui était rare. Elle faisait la vaisselle. Il s'empara aussitôt d'un linge, se mit à essuyer un verre et dit : « Madame, est-ce que je peux vous demander quelque chose ? J'aimerais sortir avec votre fille Annette à soir. Il y a un bon film qui passe au Capitol. Après, on irait manger une bouchée au restaurant. Je promets de vous la ramener avant minuit. »

Mme Lemelin était tellement contente qu'elle avait dû se retenir pour ne pas l'embrasser sur les deux joues. Sans cesser de récurer son chaudron, elle avait répondu, le visage rosissant : « Écoute, mon beau, moi, ça me fait pas rien, là, mais Annette, elle a dix-huit ans, là, ça fait que… Il va ben falloir que toi, tu lui demandes à elle. Je peux pas lui demander à sortir pour toi, tsé ? Fais ton homme pis invite-la toi-même… » Alexandre avait répondu avec un petit sourire gêné : « Vous inquiétez pas, madame Lemelin, j'y ai déjà demandé pis elle a dit oui. Mais elle pensait que ça vous ferait plaisir si je vous demandais la permission. C'est plus correct comme ça. » Mme Lemelin : « Ah toi, mon petit bonjour ! Me semble que je te trouvais brave, aussi ! En tout cas, toi, on te voit venir. Tu serais pas capable de garder une menterie longtemps. J'aime ça, un homme franc ! C'est correct, ça ! » Six mois plus tard, Annette et Alexandre étaient M. et Mme Francœur. Le lendemain des noces, ma sœur aînée était en chemin. Ma grand-mère franco-albertaine n'était pas au mariage. Elle était au chevet de son mari malade. L'état du sous-ministre de l'Éducation a repris du mieux après, mais elle n'est jamais venue à Ottawa pour autant. Seule ma sœur aînée l'a rencontrée, la fois où elle a accompagné mon père à Edmonton. Nous n'avons connu d'elle que des photos, elle ne nous a vus qu'en photo aussi. À notre anniversaire, elle nous envoyait toujours un cadeau ; à Noël aussi. C'était une bonne grand-mère à distance. Nous nous sommes mis à lui écrire dès que nous avons appris comment, et elle nous faisait des réponses exquises de son écriture soignée d'institutrice retraitée. Je n'ai jamais entendu le son de sa voix. J'aurais aimé, nous aurions tous aimé la connaître.

Mon père allait la voir tous les deux ans, l'été, mais il était évident qu'il n'aimait pas laisser ma mère seule trop longtemps avec les cinq enfants et qu'il préférait passer ses deux semaines de vacances avec nous, au chalet que nous louions de mon oncle et où nous faisions des feux de camp tous les soirs avec nos cousins et les enfants des autres chalets du lac. Il n'aimait pas non plus le long voyage en train aller-retour. Ça lui rappelait les nombreux exils de son enfance ; la guerre aussi.

Quand l'interurbain est devenu abordable, mon père s'est mis à appeler ma grand-mère ; ils ont ainsi cessé de s'écrire. Elle-même commençait à avoir de la misère à écrire à cause de son arthrite. Il parlait peu d'elle à la maison. Il s'est confié à son sujet à ma sœur, mais rien qu'une fois : c'était lors du voyage qu'ils ont fait ensemble à Edmonton, et il lui avait fait promettre de ne pas répéter ça à ma mère.

Il était vrai que le sous-ministre de l'Éducation — mon père l'appelait toujours ainsi long comme le bras, non par méchanceté, simplement par dérision de tout ce qui était titre ou statut dans le monde — était malade au temps où mes parents s'étaient mariés. La vérité vraie, cependant, c'était que ma grand-mère était déçue du choix de l'épousée. Elle aurait voulu pour lui une fille de notables, aisée, instruite, aimant les livres sérieux et la musique, liée au grand monde, avec des manières raffinées. Quelqu'un qui n'aurait pas su faire la vaisselle ou coudre, par exemple. Amante de tous les arts, et pourquoi pas poitrinaire aussi, pour faire comme dans les romans? Elle voyait son fils dans quelque manoir, lisant au coin du feu des poèmes ésotériques sur une musique de Schubert à une pâle tuberculeuse lovée sur une causeuse et tremblante d'émotion. C'était ça qu'elle avait imaginé. Et non une petite employée de caisse populaire, qui avait fait sa douzième année, d'accord, mais qui n'avait pas d'oreille pour la musique, fille d'un électricien et d'une ménagère qui faisait des enfants comme d'autres font des tartes. Une fille qui ne savait pas qui était Stendhal et qu'on aurait peut-être prise pour une servante au château de Versailles!

C'était bien la seule chose que mon père ne pardonnait pas à sa mère. Son snobisme injuste, son désir ridicule et romanesque d'ascension sociale. «Elle se prend pour une autre, qu'est-ce tu veux? avait-il dit à ma sœur avec une tristesse qu'elle ne lui avait jamais vue. Et dire que ta grand-mère faisait le grand ménage de la maison la veille du jour où la femme de ménage ukrainienne venait chez nous. Elle avait peur de passer pour une cochonne et que la dame aille médire d'elle dans les autres maisons chics du quartier. La madame ukrainienne voyait clair dans son jeu et en riait avec moi.» Pauvre petite mère…

Ma sœur avait eu toutefois une bonne impression de notre grand-mère. Pendant des années après, elle nous a raconté en long et en large comment elle avait été accueillie. Son mari le sous-ministre retraité était alors toujours de ce monde, et il avait été particulièrement galant avec elle. Le couple habitait une jolie petite maison d'Edmonton avec un grand jardin. Ma sœur et mon père avaient été invités par le sous-ministre à aller attendre la grand-mère sous la tonnelle. Un haut-parleur à la fenêtre de la maison faisait entendre des pièces de Mozart qui s'accordaient bien avec les fleurs assiégeant la tonnelle.

La grand-mère avait fait une entrée très théâtrale dans le jardin. Elle était coiffée comme pour la grand-messe de Pâques, avait dit ma sœur, et elle était vêtue d'une jolie robe rose et d'une mantille noire. «Mais c'est mon portrait en jeune fille! avait-elle dit de ma sœur à mon père. Dis-moi ton nom, ma grande», avait-elle aussitôt ajouté en lui tendant la main comme à une inconnue. Une bonne d'un certain âge, que mon père a embrassée sur les deux joues en prononçant quelques mots d'ukrainien, assurait le service : thé, gâteau au fromage et à la mandarine, biscuits. Le sous-ministre n'était pas resté longtemps ; il avait affaire ailleurs, avait-il dit pour s'excuser. « Oui, laisse-nous, avait-elle dit en anglais, nous allons parler français maintenant. » Avant de s'éloigner, le vieux monsieur avait fait le baisemain à ma sœur, qui avait été très impressionnée.

« Vous aimez le gâteau ? C'est une recette qui me vient de Salzbourg. Le thé noir est de Russie. Je n'en bois pas d'autre. » Tout le reste avait été à l'avenant. La grand-mère avait parlé de tout mais surtout de rien. Elle n'avait pas manqué cependant de s'informer des études de sa petite-fille et de la santé de ses frères et sœurs.

« Reconnais-tu la musique qu'on entend ? » lui a demandé ma grand-mère à brûle-pourpoint. Ma sœur a répondu que non. Moue désapprobatrice de la grand-mère. « C'est du Chopin. Tout à l'heure, c'était Mozart. Bon, maintenant, parle-moi du roman que tu lis en ce moment. » Ma sœur a répondu qu'elle ne lisait jamais de romans, et devant la nouvelle moue de sa grand-mère, elle s'est empressée d'ajouter qu'elle ne lisait pas de poésie non plus, qu'elle n'aimait pas lire, point. Traduction : ce n'est pas la peine d'insister, je suis une ignorante volontaire et fière de l'être. « La digne fille de son père, a dit la grand-mère. Ou de sa mère, je ne sais trop. » Et alors, elle a étonné ma sœur en lui faisant un grand sourire. Manière de dire : voilà ma puissance confirmée, moi, je sais, et vous, vous ne savez rien ; je reste la meilleure. L'aveu de ma sœur l'avait rassurée, aurait-on dit, et elle lui en était secrètement reconnaissante. C'est peut-être pour cela que ma grand-mère a tenu à l'embrasser lorsqu'elles se sont quittées.

Vers la fin de l'après-midi, elle s'est levée pour les remercier de leur visite et les a raccompagnés à la porte du jardin. Sans doute pour punir mon père d'être descendu à l'hôtel cette fois-là et d'être venu avec quelqu'un qu'elle ne tenait pas à héberger sous son toit, la fille de ma mère. Ce fut la seule visite de ma sœur chez elle.

Mon père avait eu l'intelligence d'inscrire ma sœur à quelque excursion dans les Rocheuses, et le jour de son départ, il a quitté l'hôtel pour aller chez sa mère, qui était tout heureuse de l'avoir enfin à elle toute seule. Au moment où ma sœur l'a quittée, ma grand-mère lui a demandé si elle aimait les voyages. Oui, a dit ma sœur, qui en était à son premier séjour loin d'Ottawa. « C'est beau, ça, c'est bien ! Moi aussi, j'aimais les voyages. » Mon père a souri et détourné la tête.

L'année suivante, le sous-ministre est décédé, et mon père a pris l'avion pour assister aux obsèques. Après ça, il a toujours pris l'avion pour aller voir sa mère ; il y allait désormais chaque année et y restait au moins dix jours chaque fois. Je crois que plus elle avançait en âge, plus il l'aimait et moins il se souvenait des mots durs qu'elle avait eus pour lui et ma mère.

Ma grand-mère n'a jamais voyagé, ou alors si peu. Il y avait eu la Grande Guerre, qui l'avait empêchée de dépasser la petite gare ; la naissance de mon père ; et puis l'époque où ça ne se faisait pas parce que l'argent était rare ; et encore une autre guerre. Le sous-ministre et elle avaient pris leur retraite assez jeunes ; ils avaient eu le temps et les moyens de voir du pays, mais le sous-ministre trouvait toutes sortes de prétextes pour ne pas trop s'éloigner, et elle, semble-t-il, ne demandait pas mieux que de prendre ses excuses pour argent comptant, quitte à le blâmer après pour leur inertie. La vérité, c'est qu'elle commençait à se faire vieille et qu'elle avait peur désormais. Elle craignait surtout de ne pas aimer la Venise de ses magazines et la Vienne de ses romans à l'eau de rose. Elle avait eu peur de s'affranchir des contes de fées qu'elle s'était fabriqués jeune fille. Son mari et elle s'étaient contentés de courts séjours dans les beaux hôtels des Rocheuses et de voyages organisés sur la côte du Pacifique. Vers la fin de sa vie, étant veuve depuis un bon moment déjà, elle a songé à aller s'installer à Victoria, le paradis des vieux Canadiens. Il y avait là, disait-elle, un hôtel qu'elle aimait, l'Empress, où l'on servait à seize heures tous les jours le *high tea* exactement comme à Londres. C'était vrai, et c'est encore vrai. Mais elle n'a jamais trouvé la force de se déraciner de nouveau.

Il me semblait curieux d'avoir une grand-mère qu'on n'appelait jamais *grand-maman* entre nous ; on disait seulement *la mère de papa*. Nous n'avions qu'une vraie grand-maman, la mère de maman. L'autre était un fantôme qui n'habitait que la vie de notre père. C'était dommage, car j'aimais le peu que je savais d'elle. Surtout ce que j'en imaginais.

J'avais seize ans quand elle est morte. Ma mère nous a annoncé la nouvelle un matin au lever. Mon père avait reçu l'appel dans la nuit; il avait fait sa valise et était parti aussitôt. Personne chez nous n'a eu de peine, évidemment; on ne l'avait jamais vue! Sauf ma sœur aînée, mais elle n'était pas à la maison ce matin-là. On avait juste eu le cœur un peu serré pour notre père. On savait qu'il l'aimait même s'il se plaignait d'elle des fois. Papa s'est absenté assez longtemps. L'enterrement, les formalités de la succession, l'obligation de vider la maison pour la vendre. En plus, ma grand-mère avait demandé à être enterrée dans son village natal, et non à Edmonton aux côtés de son mari. Autres complications. Mais mon père avait été heureux de retourner là-bas; c'était la première fois qu'il y allait depuis qu'il en était parti. Il y avait revu des amis d'enfance, on lui avait fait une fête, et ça lui avait remonté le moral.

Mais il n'a plus jamais été le même après. Jamais il n'a parlé de l'héritage considérable qu'il avait touché, et il n'a plus jamais reparlé de ma grand-mère. Son deuil avait toutes les couleurs d'un chagrin amoureux. Je me rappelle que ma mère en ressentait un certain dépit, comme s'il était allé aimer ailleurs. Cela causait des tensions dans le couple, et mon père parfois s'emportait pour des riens; ce furent les seules occasions où il fut injuste envers nous.

Il s'opéra un autre changement en lui. Lui qui n'avait eu toute sa vie que dédain pour l'Europe imaginée de sa mère, il s'est mis à en dire du bien. Lorsque la saison des voyages a commencé pour ma génération et que nous, les enfants, en avons été, il en a éprouvé du contentement. Quand ma sœur a annoncé qu'elle partait pour l'Allemagne comme fille au pair entre deux années à l'université, il lui a dit : « Tu fais bien. Ça aurait fait tellement plaisir à ta grand-mère. » Ça, c'était nouveau chez lui. Mais il n'aimait pas voir les photos qu'on lui rapportait ; il n'aimait pas non plus qu'on lui raconte nos souvenirs de voyages. Comme s'il avait craint de troubler le repos de ma grand-mère. Il n'a jamais voyagé, lui non plus. Pour faire comme elle, peut-être.

Il est décédé un soir de novembre. J'étais passé faire un tour à la maison après ma journée au bureau, et il était assis dans la cuisine à lire une revue de rénovation intérieure. Il avait eu du mal à se détacher de sa lecture. Il m'avait demandé si tout allait bien, puis il s'était levé pour aller au réfrigérateur. « Bon, écoute, qu'il avait dit en refermant la porte du frigo, peux-tu garder la maison deux minutes ? Il faut que j'aille acheter une pinte de lait au coin. » Je n'ai pas compris pourquoi c'était si pressé. Il a enfilé son manteau d'un air soucieux, il est sorti sur le perron, il a allumé une cigarette et il est parti. Vingt minutes plus tard, la voisine frappait à la porte pour me dire que mon père s'était écroulé devant la cabine téléphonique à côté du dépanneur, foudroyé par un arrêt cardiaque, apparemment. Une religieuse qui passait par là avait pratiqué la réanimation cardiovasculaire ; peine perdue. Une ambulance l'avait emmené. J'ai tout de suite filé à l'hôpital, où le décès avait déjà été constaté.

On m'a remis ses affaires et je suis rentré à la maison pour prévenir maman et les autres.

Quelqu'un d'autre aurait trouvé dommage de penser que ses dernières paroles avaient été : « Il faut que j'aille acheter une pinte de lait au coin. » Ça ne fait pas très historique ni philosophique, mais que voulez-vous, les grands mots, ce n'était pas son genre. Il n'avait été que lui-même jusqu'à la fin.

Ma mère n'a pas été une veuve éplorée bien longtemps. Dès qu'elle s'est mise à faire le ménage dans ses papiers, tâche aisée, lui qui était si ordonné, elle a découvert des factures mystérieuses ainsi qu'un carnet rouge où étaient notées certaines dépenses qui n'avaient rien à voir avec le ménage ou la maison. Il y avait entre autres un numéro de téléphone, qu'elle a composé. C'est la secrétaire de mon père qui a répondu. Quand ma mère s'est nommée, la dame a éclaté en sanglots, et entre deux hoquets, elle lui a dit qu'elle l'avait aimé, elle aussi, sûrement autant qu'elle. Puis elle a dit pardon, pardon... Ma mère a raccroché.

Ma mère a été très digne. Pendant des années, elle n'en a rien dit à personne ; elle n'a pas fait d'histoires non plus à la secrétaire. Nous adorions notre père ; elle aurait pu ternir sa mémoire en mentionnant ce pas de côté, mais elle n'en a rien fait. Bien des années plus tard, cependant, quand ma sœur aînée a traversé la grande tourmente conjugale de sa vie, ma mère a pensé la consoler en lui racontant cette histoire. Peut-être qu'elle voulait lui montrer que l'homme parfait n'est pas encore né. Elle lui a dit en conclusion : « Je t'avouerai que cette découverte m'arrangeait un peu. Je savais pas quoi faire de ma peine, et j'étais pas sûre de passer au travers. Pis quand je me suis aperçu que ton père, le saint homme, voyait cette femme-là depuis au moins dix ans, je te dis que mon costume de veuve a pris le bord vite. Finies les larmes! On fait le grand ménage et on y pense plus. La vie continue!» Cette confidence n'a malheureusement pas consolé ma sœur : son chagrin d'avoir été abandonnée pour une plus jeune a viré en maladie, et un cancer l'a tuée trois ans plus tard.

Je n'ai été mis au courant de cette histoire que beaucoup plus tard. C'était lorsque je suis allé rendre visite à ma sœur à l'hôpital de Toronto, où elle suivait son traitement. Il ne lui restait plus que trois semaines à vivre. J'avais mentionné le souvenir de mon père, et elle a dit : «Il paraît que je vais le retrouver bientôt. J'ai pas hâte. C'était un homme comme les autres…» Au bout d'un long silence, elle m'a répété ce qu'elle savait. J'avoue que je n'ai pas été choqué : je traversais moi-même des moments difficiles dans mon mariage, et je savais depuis longtemps que j'étais moi aussi un homme comme les autres.

N'empêche que cette révélation m'a fait découvrir la face cachée de certains épisodes. Quand, par exemple, au terme de l'année de deuil, ma mère m'a demandé d'aller inhumer les cendres de mon père à côté de celles de ma grand-mère, dans leur village de l'Alberta. «Je veux que ce soit toi qui y ailles. C'était toi qui l'aimais le plus. Accepterais-tu de faire ça pour moi?» J'ai dit oui, bien sûr, mais je n'ai pas pu m'empêcher de lui demander pourquoi elle ne voulait pas qu'il soit enterré dans le lot familial, ici à Ottawa, où il y avait déjà deux de mes frères, le premier mort-né et le second noyé à vingt ans. « Non. Ta grand-mère et lui s'aimaient. Je sais bien qu'ils se critiquaient l'un l'autre tout le temps, mais c'était leur manière à eux de penser à l'autre. Ils étaient juste pas capables de se lâcher. Il a fait exprès pour vivre sa vie loin d'elle. Maintenant ils seront ensemble pour l'éternité. Ça va leur faire plaisir. » Comme je ne savais pas tout, j'ai cru son explication.

Cela dit, il était vrai que mon père avait vécu toute sa vie contre elle, sa mère, et je trouvais bien qu'on les réunisse au cimetière. Ça ressemblait à une réconciliation.

Je n'étais jamais allé en Alberta. Je ne suis pas voyageux, moi non plus. C'est ainsi que j'ai vu Edmonton, où je suis allé voir la maison de ma grand-mère, sans y entrer évidemment. Puis j'ai vu le village de ma grand-mère et le magasin général de mon arrière-grand-père, qui est aujourd'hui un dépanneur avec une station-service. J'ai rencontré des gens qui avaient connu mon père petit. J'avais fait mettre une annonce dans le journal local pour la cérémonie d'inhumation des cendres. Il est venu six personnes, que j'ai invitées au restaurant après. C'était très sympathique. Ces gens n'avaient que du bien à dire de lui. Entre eux, ils parlaient, je me rappelle, un ukrainien mâtiné d'anglais, et ils traduisaient obligeamment pour moi les anecdotes qu'ils se racontaient.

Et non, je n'ai pas profité de ma visite au cimetière

pour aller vérifier sur la tombe du beau grand blond belge aux yeux verts si cet homme était bel et bien décédé deux ans avant la naissance de mon père, ce qui m'aurait prouvé une fois pour toutes qu'il avait vécu toute sa vie, et moi la mienne, sous un nom d'emprunt. Je suis sûr que mon père n'avait pas voulu savoir lui-même. J'ai laissé tomber aussi, par respect pour sa mémoire.

Avant de repartir, je me suis rendu à pied jusqu'à l'ancienne gare d'où ma grand-mère avait voulu partir. C'est un lieu historique, maintenant, une sorte de petit musée à la gloire des chemins de fer d'autrefois. Au mur, dans un coin, il y avait le portrait d'une jeune femme au fusain. Le papier avait jauni, mais le dessin était réussi. Le nom de l'artiste n'était pas indiqué, cependant ; celui du modèle non plus. La légende disait : « Une pionnière. » Je l'ai regardé longtemps ; j'aurais aimé y retrouver, je ne sais pas, moi, le front de mon père ou les yeux d'une de mes sœurs. Ou mon nez, tiens. J'ai eu beau chercher, je n'ai rien trouvé, mais ça ne m'a rien fait. Puis je suis sorti sur le quai ensoleillé, où, seul avec mon souvenir, j'ai imaginé ma grand-mère avec son petit chapeau fleuri et sa valise d'osier.

La scène était d'une beauté parfaite. Il n'y manquait qu'un air de violon venu de loin.

À l'Ex

Il y avait Larry, Bobby et moi. Moi, c'est Tom. On n'était pas vraiment des amis, mais on se tenait ensemble pareil. Bobby était dans ma classe, mais on ne se parlait pas souvent ; je ne le trouvais pas intéressant, et lui, il me trouvait plate. Larry était plus vieux, plus grand et surtout plus gros que nous. Il était en septième, mais comme il avait redoublé une couple de fois, il devait avoir au moins quinze ans. Il commençait même à avoir de la barbe.

On n'avait rien en commun tous les trois, mais comme c'était l'été et qu'on n'avait strictement rien à faire, on avait pris l'habitude de se retrouver dans les ruelles de la Côte-de-Sable où personne n'allait. Des fois pour faire des mauvais coups. Pas grand-chose : faire éclater le cadavre d'un rat en lui mettant un pétard dans la gueule, siffler des filles pour faire comme les travailleurs de la construction, casser des bouteilles de liqueur vides sur le trottoir juste pour dire qu'on avait fait de quoi ce jour-là. Vraiment pas grand-chose. Ce qu'on savait faire de mieux, c'était de traîner dans les rues et de parler. On avait une expression pour ça, qui, j'en conviens maintenant, n'avait rien de très élégant :

on disait *fourrer le chien,* expression qu'il ne fallait surtout pas prendre au pied de la lettre, et qui signifiait
essentiellement « ne rien faire de bon ou d'intelligent »,
pas plus.

Si on se tenait ensemble, c'était aussi parce qu'il n'y
avait personne d'autre alentour pour se tenir avec l'un
de nous autres. Les vrais amis que j'avais étaient partis
pour l'été, en vacances quelque part, loin d'Ottawa.
Bobby, qui mentait comme il respirait, parlait souvent
d'amis à lui qui m'avaient l'air pas mal imaginaires :
c'étaient toujours des gars dont les exploits paraissaient
impossibles, comme coucher avec des filles toutes nues
ou se battre à coups de poing avec la police, des affaires
de même. Et, ce que je trouvais drôle, c'était que
ses fameux amis restaient tous à Montréal, où il allait
des fois parce que son père travaillait là. Qu'il disait…
L'origine montréalaise de ses amis était commode parce
qu'on ne pouvait jamais vérifier ce qu'il racontait. Ça
fait que, quand son histoire commençait par : « J'ai un
ami à Montréal qui… », mettons que je me méfiais.

Larry, lui, ne parlait pas de ses amis. Il se vantait
même de ne pas en avoir parce qu'il disait qu'il n'en
avait pas besoin. Par contre, il parlait beaucoup de ses
frères : mon frère a fait ci, mon frère a fait ça. Il était le
garçon le plus jeune chez lui, et il était vrai que ses frères
n'étaient pas des enfants de chœur. Il y en avait un
qui avait été à l'école de réforme d'Alfred, un autre qui
avait fait de la prison pour avoir volé un char, ce
qui faisait que notre Larry avait de quoi à dire. Il y avait
quelque chose dans sa façon de raconter qui son-

nait faux, mais comme il était plus fort que Bobby et moi et qu'on avait peur qu'il se fâche, on faisait semblant de le croire pour lui faire plaisir. C'est à cette époque que m'est venue la conviction que ceux qui parlent trop de leur parenté sont des gens qui ne s'aiment pas beaucoup. Leur famille fait tout leur prestige, comme les nobles indigents qui n'ont plus que leur nom pour bien.

Bobby, lui, on ne le croyait quasiment jamais, surtout Larry, qui était tout le temps le premier à lui dire : « Va donc chier, c'est même pas vrai, ça ! » Moi, je me contentais de lui rire en pleine face. Mais une fois, il m'a eu. Ce jour-là, on traînait au parc Strathcona, il nous a montré un gars qui passait et il a dit : « Ce gars-là, je le connais. C'est un étudiant à l'Université d'Ottawa. C'est lui qui a inventé *fuck off*, pis à cause que tout le monde dit ça sur la terre maintenant, il s'est fait arrêter par la police. Il est allé en cour, pis le juge lui a donné trois mois de prison pour ça. Faut faire attention à ce gars-là… » Larry n'a rien dit. D'habitude, ce n'était pas un bon menteur, Bobby, mais cette fois-là, je l'ai cru. Le maudit…

Moi non plus, je n'étais pas un bon menteur. Mais je m'arrangeais pour raconter des histoires de guerre qui étaient inspirées des films qui passaient le vendredi soir à *Cinéma international* de Radio-Canada. (Je savais que les deux autres ne regardaient jamais ça parce que c'étaient des vues en français, ça fait que je ne risquais rien.) À la place des acteurs qui jouaient dans le film, je mettais en scène des oncles imaginaires qui faisaient tout ce qu'on faisait dans le film. J'étais comme ça quand j'étais petit : j'aurais voulu vivre ma vie dans un film qu'on aurait regardé à la télévision le vendredi soir. Ma chance, quand je racontais ces aventures, c'était que mon père était allé à la vraie guerre, lui, et on avait chez nous des médailles qui le prouvaient ; deux de mes vrais oncles y étaient allés aussi, mais seulement vers la fin. Ça me donnait un peu d'autorité. Je ne suis pas sûr que les deux autres me croyaient, mais au moins ils ne m'interrompaient pas en disant : « Maudit menteur, toé, c'est même pas vrai ! » Ils m'écoutaient sans rien dire, comme quoi mes histoires devaient avoir l'air vraies.

Des gars ensemble font tout le temps ça : pour passer le temps, ils se racontent des menteries. Juste pour que la vie soit moins plate. Ou alors juste pour le plaisir de parler et d'écouter. Ce talent qu'ont les hommes pour la fabulation autobiographique ne se perd pas avec l'âge. Au contraire.

Larry avait commencé à fumer : des cigarettes qu'il volait dans le paquet de sa mère, et des fois il essayait de nous montrer comment tirer une touche. Bobby était meilleur élève que moi ; moi, je toussais tout le temps, je n'y arrivais pas même avec la meilleure volonté du monde. Pourtant, j'aurais tellement aimé ça, me promener dans la rue, les pouces dans les poches, la cigarette au bec comme les bums dans les vues, mais je n'étais pas capable. Par contre, j'étais plus doué que Bobby pour quêter des cigarettes dans la rue. « Pardon, monsieur, auriez-vous une cigarette ? » Je devais avoir le tour parce que ça marchait souvent ; faut dire aussi que j'étais très poli, en anglais comme en français, et une fois sur deux, au lieu de me dire non méchamment comme les deux autres, on m'en donnait une. Pas comme Bobby qui se faisait tout le temps envoyer chier ; même qu'une fois un grand gars de l'université lui a fourré un coup de pied dans le cul pour lui faire passer le goût de fumer. Larry et moi, on avait ri comme des fous. Et dès que je réussissais à en obtenir une, j'allais la porter à Larry, tout fier, et il me disait : « Marci, Tom, je vas te remettre ça un de ces jours. » Il ne me remettait jamais rien, mais l'espace d'un moment, j'étais meilleur que Bobby à ses yeux, et ça, pour moi, c'était quelque chose.

Larry était le gars que j'aurais voulu être dans la vie. Parce qu'il était un bum, un vrai. À l'école Garneau dans la rue Cumberland, où on allait tous les trois, il y avait plusieurs familles de bums. Les Kirouac, les Avon, les Jeanvenne, les Galipeau, les Lavergne, les Cléroux, les Dion, les Laviolette. Comme il s'agissait toujours de familles nombreuses, tous ces bums étaient bien représentés dans toutes les classes, et ils composaient l'essentiel de la clientèle de ce qu'on appelait la classe spéciale de M. Boulerice, dont ils avaient tous une peur bleue. Dans cette classe-là, les élèves apprenaient à travailler le bois. Tous les bums étaient derniers de classe, ils parlaient mal, ils se battaient tout le temps, ils se faisaient mettre à la porte de l'école. Eux autres, on pouvait dire qu'ils fourraient vraiment le chien.

Larry était un Myre. Il était juste assez bum à mon goût. Pas un maudit bum qui fait des coups pendables comme mettre le feu à une maison ou poigner le cul d'une fille qui ne veut pas, juste un gars qui avait l'air toffe. Il se peignait les cheveux par en arrière comme Elvis Presley, avec du Brylcreem qu'il volait au IGA, et portait une veste de cuir noire été comme hiver. (Il disait que son frère l'avait volée pour lui chez Freiman.) Il mourait de chaleur avec l'été et il gelait dedans l'hiver, mais il n'aurait pas pu vivre sans, qu'on aurait dit. C'était son uniforme de vie. Dans mon imaginaire romanesque, je prêtais une existence passionnante à des gars comme lui, leur accordant toujours des débuts difficiles et violents mais une fin heureuse comme mécaniciens dans quelque garage d'Eastview. Il n'avait pas l'air propre et il avait les dents jaunes et crémeuses, mais ça ne me faisait rien parce qu'il semblait encore plus vrai de même. Larry et les autres bums de la Côte-de-Sable s'apparentaient dans mon esprit aux oncles que j'aimais, les frères de ma mère qui avaient des vies pas trop catholiques mais qui avaient l'air tellement plus vivants que les autres.

Je voulais être un autre Larry aussi parce que ma vie à moi me paraissait singulièrement dépourvue d'intérêt. Le principal de l'école ne téléphonait jamais à mes parents pour dire que leur enfant avait fait ceci ou cela. La police ne venait jamais chez nous pour nous annoncer qu'un membre de la famille était dans l'eau chaude. Mon père avait une bonne job au Parlement : ce n'était pas comme le père de Michel Kirouac, qui était un ancien lutteur. Ça, c'était quelque chose ! Moi, je servais la messe de huit heures tous les matins avec mon frère, et le soir après l'école, je livrais le journal *Le Droit* dans les maisons de la petite rue Collège à côté de l'église Sacré-Cœur et de l'Université d'Ottawa. Une vie tranquille qui me contentait, mais que j'aurais voulue plus aventureuse. Je n'avais que les films pour rêver mieux. Des livres aussi, des fois, mais que j'étais le seul à lire parmi mes contemporains et dont je ne parlais jamais parce que ça aurait fait fifi.

Larry disait que ses parents ne le chicanaient jamais, et je l'enviais pour ça. Chez nous, ça ne prenait pas grand-chose pour que notre mère nous donne de la marde. Larry prétendait même que son père avait arrêté de le battre parce qu'il était rendu plus fort que lui. Il demeurait dans la rue Osgoode, dans une petite maison en rangée qui avait l'air sale en dedans et qui était sale au dehors. Je n'ai jamais vu son père. Sa mère était une femme qui fumait tout le temps des Du Maurier et qui sacrait beaucoup. Une fois, je l'ai entendue hurler à un petit voisin : « Si tu reviens dans ma cour, mon petit câlice, je vas envoyer mon mari te casser le bras ! » La bonne femme était assez grosse pour casser toute seule le bras du petit voisin, mais j'imagine qu'elle ne devait pas courir assez vite pour l'attraper. C'est pour ça qu'elle devait se fier à son mari. Une fois seulement, je suis entré chez Larry, et sa mère gardait ce jour-là un des petits voisins, d'une famille de bums lui aussi, les Campeau. À un moment donné, le petit gars s'est mis à chialer, et la mère de Larry, qui était en train de servir le repas, lui a dit : « Toé, farme ta yeule, assistoé sur ton cul pis mange ! » J'avais eu envie de rire, je me rappelle, et je m'étais demandé ce que ça aurait pris pour que ma mère nous parle comme ça, même juste une fois. Pas de danger que ça arrive. Nous, comme disait ma maîtresse de cinquième, on était du bon monde. Mais moi, j'aimais entendre la bonne femme Myre parler comme ça.

J'enviais Bobby aussi, mais pour d'autres raisons. Je ne sais pas ce que son père faisait dans la vie, mais ça devait être quelque chose de pas mal important parce qu'il conduisait une auto flambant neuve qui brillait tout le temps ; c'était beau et propre même en dedans, et puis je gage que c'était plus propre dans sa voiture que dans la maison de Larry. Tellement que jamais un enfant ne mettait le pied dedans, et Bobby presque jamais. Son père devait travailler loin d'ici parce qu'il n'était pas souvent chez eux. Bobby ne le voyait quasiment jamais, même que, quand son père était en ville, sa mère le faisait garder chez une voisine pendant l'après-midi. Bobby voyait son père au souper des fois ; après ça, le monsieur repartait dans sa belle auto.

C'était un chanceux pareil, Bobby. Sa mère travaillait à la pharmacie à côté de l'école. Je trouvais qu'il avait la plus belle mère de la terre. Elle avait de beaux cheveux roux bouclés, un rouge à lèvres qui ne s'en allait jamais et ne lui tachait pas les dents ; elle portait à son travail un grand manteau blanc comme les docteurs, et je ne sais pas comment elle faisait, mais elle sentait toujours bon : un mélange de remède et de parfum français, une senteur qui était sérieuse et accueillante en même temps. Elle n'était pas seulement belle, la mère de Bobby, elle était bonne aussi. C'était l'époque où il n'y avait qu'une dizaine d'élèves qui dînaient à l'école le midi, dans la classe de Mme La Salle. Bobby avait tout le temps une belle boîte à lunch avec des dessins de Zorro ou de Popeye dessus. J'ai souvent vu ce qu'il y avait dans son lunch : des petits sandwichs pas de croûtes qui semblaient délicieux, et une grosse barre de chocolat, ou même une galette, pas le genre de galettes qu'on faisait chez nous, non, une galette achetée au magasin ! Il avait un Coke avec ça, ou des cachous qui venaient direct de la grande assiette chauffante qui était à côté de l'entrée à la pharmacie et qui avaient l'air chers et bons. Tellement chers que je n'ai jamais osé demander à ma mère d'en acheter. Je savais qu'elle aurait dit non et qu'elle m'aurait chicané par-dessus le marché. Ce n'était pas tout : Bobby avait tout le temps de l'argent plein les poches, de l'argent que son père lui donnait, je pense ; même qu'une fois j'ai vu qu'il avait onze cinq cents à dépenser. Pour lui tout seul ! En plus d'avoir une mère belle comme un cœur, il avait du foin. À le regarder, des fois, je trouvais la vie pas juste.

Je peux maintenant l'avouer sans craindre de faire rire de moi : j'ai aimé Bobby d'un amour vrai quand nous étions ensemble dans la classe de Mme Lacroix au jardin d'enfants. Je le trouvais beau, et j'aurais voulu que la maîtresse, que j'aimais elle aussi d'un amour vrai, m'aime autant qu'elle l'aimait. (J'avais un grand cœur dans le temps. Je tombais amoureux pour un rien.) Mme Lacroix lui faisait tout le temps des compliments et le consolait quand il était triste. En plus, toutes les petites filles de la classe préféraient Bobby à tous nous autres. Aimer quelqu'un, c'est d'abord vouloir être lui, et j'aurais tout donné pour habiter sa peau propre et parfumée. Ce n'était pas de l'homosexualité, non, ce n'était que de l'amour. Souvent, je demandais à ma mère : « Est-ce que je pourrais aller jouer chez Bobby un jour ? » Elle disait : « Non, on sait pas où il reste. » Ça me faisait de la peine. On ne soupçonne pas les chagrins d'amour qui agitent les enfants quand ils s'éprennent les uns des autres. Moi, dès l'âge de cinq ans, j'étais un amoureux convaincu et malheureux, mais heureux tout de même d'aimer de tout mon petit cœur innocent. Les amours au parfum tout juste sexué de la tendre enfance, auxquelles les disciples de Freud n'ont jamais, jamais rien compris... On devrait écrire un livre là-dessus, tiens.

Je sentais bien que Bobby ne m'aimait pas autant que je l'aimais, mais ça ne me dérangeait pas. Et puis, un jour, nous nous sommes disputés, et j'ai déclaré dans ma tête que je ne l'aimais plus. C'était parce qu'il avait dit : « Moi, quand je vais être grand, je vais marier Mme Lacroix. » C'était l'heure du dîner et on marchait à côté de l'église irlandaise Saint-Joseph en attendant que l'école reprenne. Je n'étais pas content qu'il dise ça. Je lui avais dit : « Non, c'est moi qui vas la marier. » Il avait répondu : « Non ! C'est moi qui l'a dit le premier. » Je lui ai donné un coup de poing, il m'a donné un coup de pied, et on s'est roulés sur la pelouse de l'église. Le sacristain sortait justement à ce moment-là, et il nous a crié, en anglais : « Allez-vous-en d'ici ou je vous mets mon pied dans le derrière!» Bobby et moi, on était repartis chacun de son côté en criant vengeance. Le lendemain, il avait oublié, et moi aussi.

J'ai cessé définitivement de l'aimer quelques jours plus tard. La cloche de la récréation venait de sonner, et comme toute la classe devait sortir dans la cour, il a présenté ses souliers à Mme Lacroix pour qu'elle attache ses lacets. Il ne savait même pas attacher ses lacets, maudit bébé! Il ne pouvait plus être mon ami. C'était fini entre nous. Mme Lacroix non plus, je ne l'aimais plus, parce que j'aimais désormais une petite fille blonde qui s'appelait Françoise Guilbeault. Mon inconstance amoureuse a connu de riches débuts.

Ça faisait longtemps, tout ça, je n'y pensais plus. Bobby était devenu pour moi un gars de la classe comme les autres. Peut-être un peu plus insignifiant que les autres, mais pas méchant.

Son seul problème, c'était qu'il était toujours propre et habillé comme une carte de mode; je jure que ce gars-là devait prendre son bain tous les jours; à cause de ça, il y avait des gars à l'école qui le traitaient de tapette. Il avait l'habitude, ça ne lui faisait rien. Et puis chanceux comme il était, avec sa mère de la pharmacie et son père riche, même quand il revenait de l'école avec un mauvais bulletin, sa mère le chicanait pas! Rien! Pas un mot! Même qu'au lieu de le chicaner elle lui achetait un cornet de crème à glace, elle lui flattait les cheveux et disait: «Pauvre p'tit...» Ce n'était pas juste, mais c'était comme ça.

Pas de danger que ça se passe de même chez nous.

Non, monsieur, non ! S'il avait fallu que je revienne chez nous avec un mauvais bulletin, je me serais fait chanter des bêtises sans bon sens par ma mère, mon père m'aurait puni, puis mes frères m'auraient agacé jusqu'à ce que je me mette à brailler. Mais je ne me plaignais pas trop de ça parce que je faisais la même chose à mes frères quand ils avaient de mauvais résultats. « Maman, maman, Louis a eu quatorze fautes dans sa dictée ! Gros pourri, gros pourri, gros pourri !... » Non, la charité, chez nous, c'était juste bon à l'église.

Une fois, j'ai eu le malheur de dire à un de mes frères que j'aurais aimé avoir des parents comme ceux de Bobby. Mon frère plus vieux m'avait traité de maudit sans-cœur. Il serait même allé me dénoncer à maman si je n'avais pas été plus vite que lui et si je n'avais pas dit que je le rapporterais parce qu'il venait de dire *maudit*. Il avait conclu que j'étais rien qu'un sans-cœur pareil de préférer la mère d'un autre à la mienne. À partir de ce jour-là, je me suis mis à garder pour moi mes pensées sur la mère de Bobby. Ça valait mieux.

Toujours est-il qu'on n'avait pas grand-chose à faire cet été-là. Mon père travaillait au Parlement, et je ne sais pas ce qui se passait là-dedans, mais il n'avait pas de vacances cette année-là. J'enviais les Brunet qui avaient un camp au bord d'un lac où ils pouvaient se baigner tous les jours et faire des pique-niques sur une île, pêcher de gros poissons qu'ils mangeaient après, faire des feux de camp le soir. D'autres avaient des grands-parents à la campagne, et ils revenaient toujours à la fin de l'été avec des histoires qui me faisaient rêver encore une fois d'appartenir à une autre famille. Comme les Laramée, qui avaient le droit de tirer les vaches avec leur grand-mère puis de boire le lait qui en sortait, pas dans des bouteilles comme chez nous ; ou qui avaient le droit de faire les foins avec leur grand-père, et qui allaient aussi cueillir des fraises et des framboises qu'ils mangeaient avec de la crème faite sur la ferme et de la cassonade.

Chez nous, rien de même. Pas de camp au bord de l'eau, pas de grands-parents fermiers. Mes parents n'avaient pas d'argent, on n'allait même pas au camp scout comme d'autres, on ne faisait rien. On traînait autour de la maison, on aidait notre mère à éplucher les patates ou on faisait le ménage dans la cave. On avait juste le droit de jouer dans la cour. On ne faisait rien, on se poignait le cul. Maudit que c'était plate ! Des fois, je pensais à l'exercice de composition qu'on avait à faire la première semaine d'école, en septembre : « Ce que j'ai fait l'été dernier… » L'idée de ce futur devoir cette année-là me désespérait : je n'aurais rien à dire, et la maîtresse ne lirait pas ma composition devant toute la classe même si j'étais meilleur que les autres en français.

Ça fait que le jour où Larry nous a dit, à Bobby et moi, qu'il irait à l'Ex au mois d'août, on lui a demandé tout de suite : « On peut-tu y aller avec toé ? » Il a commencé par dire oui ; le lendemain il a dit non ; puis il a changé d'idée quinze fois pendant deux semaines, tellement qu'on a failli ne pas le croire le jour où il nous a annoncé : « Les gars, j'y vas demain. Venez-vous ? »

85

C'était quelque chose, l'Ex. Ça s'appelait au long l'Exposition du Canada central. C'était, dans l'ancien temps, une sorte de foire agricole, et plus tard on y a ajouté un parc d'attractions temporaire avec des manèges, des baraques foraines, des clowns, des tirages, des kiosques où on vendait des hamburgers, des hotdogs, de la liqueur, de la ouate sucrée rose ou bleue dont on a appris plus tard qu'il fallait appeler ça de la barbe à papa, des pommes de tire rouge, du pop-corn. Quand j'y suis allé, il y avait encore des concours de cochons et de vaches entre les fermiers. Il y avait aussi des concours de beauté avec des jeunes femmes en costume de bain.

On s'était entendus les trois pour partir de bonne heure le matin. Mais on ne s'était pas donné de rendezvous, rien comme ça. Il était juste compris qu'on irait.

En me levant ce matin-là, plus tôt que d'habitude, ce qui a surpris mes parents qui n'avaient pas eu à me tirer du lit après trois ou quatre tentatives et au moins deux cris de mort, je me suis demandé avec quel argent j'irais à l'Ex. Ma tirelire abritait surtout des toiles d'araignées, mes parents ne nous donnaient jamais d'argent parce qu'ils n'en avaient pas assez eux-mêmes pour tous nous autres, qu'ils disaient. Je savais cependant que j'irais à l'Ex avec Larry et Bobby, coûte que coûte; j'avais confiance, je ne sais pas pourquoi.

J'avais bien raison de ne pas m'en faire, d'ailleurs. Mon père était en train de déjeuner. « Tiens, déjà debout, toi? » Peut-être parce qu'il était content de me voir si matinal, il a sorti de sa poche deux vingt-cinq cents. « Tu iras te faire faire les cheveux chez

M. Viau. Il charge trente-cinq cents, tu garderas le reste.» Ma chance venait de commencer. Cinquante cents! Je pourrais faire de quoi avec ça, et je me débrouillerais plus tard pour aller chez le barbier. Je me débrouillerais... Peut-être que je pourrais me couper les cheveux moi-même... En attendant, c'étaient cinquante cents que je n'attendais pas.

Tout de suite après avoir mangé mes toasts, je suis allé dans la ruelle pas loin de la rue Osgoode où on se tenait tous les trois et je me suis mis à les attendre. Après avoir joué avec des riens pendant au moins une heure, j'ai décidé de marcher un peu en direction de chez Larry. Je marchais lentement en regardant autour de moi et par terre : je voulais être sûr d'apercevoir les deux autres s'ils étaient en chemin, et j'espérais, comme tous les jours, trouver de l'argent par terre. Un beau billet de deux dollars aurait fait mon bonheur. Je connaissais un gars qui disait avoir trouvé un portefeuille plein d'argent dans la rue un beau matin, et je rêvais qu'il m'arrive la même chose. Surtout ce jour-là.

Tout à coup, j'ai entendu une voix derrière moi. C'était Bobby qui m'appelait, bien peigné et bien habillé comme toujours, avec un T-shirt blanc, une culotte carreautée et des espadrilles neuves. «Attends-moé, Tom!» Il arrivait de chez Larry, qui était déjà parti ; il avait l'air de penser que je saurais comment le retrouver ; je ne lui ai rien dit, bien sûr. «Qu'est-ce qu'on fait, Tom?» Je lui ai dit qu'on n'avait rien qu'à aller dans la rue Rideau, on finirait bien par trouver Larry là puisqu'il fallait partir de là de toute façon. J'étais aussi inquiet de mon affaire que lui, mais au moins, je n'ai rien laissé paraître, pas comme lui...

Comme de fait, on a revu mon Larry rue Rideau. Il était parti sans nous, un vrai écœurant. Mais puisqu'on n'avait pas fait de plans précis, on ne pouvait pas lui faire de reproches ; on n'a rien dit, Bobby et moi, on a fait comme si tout avait été organisé entre nous.

Larry attendait le 7, qu'il nous a dit, et tous les 7 allaient à l'Ex. Vu qu'il ne voulait pas payer, qu'il nous a expliqué, il suffisait d'attendre que l'autobus s'arrête et d'embarquer par la porte d'en arrière, par où les gens débarquent. On n'avait qu'à se cacher derrière un banc, et comme tous les autobus étaient pleins à craquer ce jour-là à cause de l'Ex, le chauffeur ne nous verrait pas.

Bobby, le nono, est allé dire que ça ne le dérangeait pas de payer. Larry l'a traité de niaiseux. « Moé itou, j'ai de l'argent, qu'est-ce tu penses ? Mais je veux pas payer pour le bus, je garde mon cash pour l'Ex. Je vas vous montrer comment qu'on fait, je vas embarquer le premier, vous ferez pareil comme moé, pis je vous attendrai rendu là. » Le 7 est arrivé, mais la porte d'en arrière ne s'est pas ouverte, personne ne débarquait. Ah non... Fallait attendre le prochain. Je commençais à être nerveux, je me demandais si j'aurais le courage de faire ce que Larry disait.

Il est passé deux autres 7 avant que ça marche. La première fois que Larry a voulu donner l'exemple, un vieux bonhomme l'a repoussé en lui criant : « Embarque en avant pis paye comme tout le monde, ti-cul ! » Des gens qui attendaient à l'arrêt ont ri de lui. C'était clair qu'il avait honte d'avoir manqué son coup, Larry, mais on n'a rien dit pour ne pas lui faire de peine. Puis, à un moment donné, son truc a marché et la porte s'est refermée derrière lui. Je n'ai pas souvent admiré un gars autant que lui cette fois-là.

Bobby m'a dit que c'était à mon tour. J'étais mort de peur ; je ne voulais pas me faire jeter dans la rue en me faisant traiter de ti-cul devant Bobby. Mais j'ai été chanceux. Au premier coup, j'ai réussi à embarquer. Une madame assise à côté de la porte m'a demandé sur un ton moitié sévère, moitié indulgent : « As-tu oublié de payer, toi ? » Là, je me suis prouvé pour la première fois de ma vie que j'étais un gars intelligent. J'ai regardé par terre et j'ai dit : « *Sorry, I don't speak French.* » Elle n'a plus rien dit. Fiouf ! Tout le long du voyage, j'ai eu peur qu'elle aille me rapporter au chauffeur, mais non, elle n'a rien fait. Mais la peur de me faire prendre a gâté le plaisir que j'avais de voyager gratis et de faire honneur à Larry, qui serait sûrement fier de moi.

J'ai su qu'on était arrivé à l'Ex quand l'autobus s'est vidé. Il y avait du monde en masse sur le trottoir et j'ai cherché Larry parmi les gens qui se bousculaient aux portes. Pendant un bon moment, j'ai cru qu'il était entré sans nous attendre et qu'il nous avait abandonnés pour la deuxième fois ce jour-là. Ça ne m'aurait pas surpris de lui ; il n'avait pas vraiment envie d'être notre ami, je le sentais trop bien. Mais je ne savais pas comment entrer à l'Ex sans lui, sans argent. Ma nervosité m'a subitement donné envie d'aller aux toilettes.

J'ai repris courage en me disant que j'allais

attendre Bobby. Au moins, on serait deux, et il avait l'air d'avoir plus besoin de moi que moi de lui. Sa peur me ferait oublier la mienne.

Il est arrivé pas longtemps après, comme je l'espérais. En débarquant, il a eu l'air tout content de me retrouver là, comme si c'était un pur hasard, et il s'est mis à parler très vite. « Je te dis que c'était facile, le truc de Larry. J'ai embarqué dans le troisième autobus après le tien. Un grand gars a voulu me pousser dehors, j'y ai donné un coup de poing dans face. Ensuite, une vieille bonne femme m'a dit de débarquer. J'y ai dit de manger de la marde! Sur la rue Bank, un petit bum a voulu embarquer par en arrière comme nous autres, j'y ai donné un coup de pied dans les gosses pour l'en empêcher pis j'y ai dit : "Paye comme tout le monde, ti-cul!" J'ai assez ri…» Il parlait un peu trop vite et un peu trop fort à mon goût; c'est là que j'ai compris qu'il n'y avait pas un mot de vrai dans ce qu'il disait. J'ai bien failli lui dire : « T'as payé comme les autres, menteur! T'avais la chienne d'embarquer par en arrière!» Mais je me suis retenu parce qu'il me faisait un peu pitié, et j'ai pensé qu'à sa place j'aurais peut-être raconté la même menterie, pour ne pas perdre la face. Alors je me suis contenté de cracher par terre comme Larry faisait quand il se rendait compte qu'on était plus jeunes que lui et qu'il savait des choses que nous autres, on ne pouvait pas savoir. Des affaires de sexe, par exemple. Bobby a changé de sujet. « Où qu'il est, Larry? »

On a attendu un bon bout de temps. Mon Larry a fini par arriver, à pied. Ça nous a déçus un peu. Il avait le caquet bas, la joue droite un peu enflée et une égratignure au bras gauche. Bobby lui a demandé : « T'es-tu correct ? » Larry lui a dit de fermer sa gueule. Non, il n'était pas de bonne humeur. Il lui a fallu un peu de temps pour nous avouer que des gars, des vrais bums, l'avaient jeté en dehors de l'autobus pour rire de lui ; il était encore loin de l'Ex, il avait dû faire le reste du chemin à pied. Pour s'excuser, il a rajouté : « Au moins, ça m'a pas coûté cher pour venir icitte… » Pour la première fois depuis que je le connaissais, j'ai cessé d'avoir peur de lui, et je lui ai dit : « En tout cas, on t'a attendu longtemps, nous autres. » Pour ne pas trop l'humilier, j'ai rajouté : « Mais il était bon, ton truc. Bobby pis moé, on a pas eu de misère à s'en venir… » Il n'a pas répondu, et moi, j'ai craché par terre pour faire le bum. J'ai senti alors que Bobby me dévisageait avec des yeux reconnaissants.

Bobby a redonné courage à Larry en lui demandant : « Bon, astheure, comment qu'on fait pour entrer sans payer ? » Larry est redevenu notre chef pendant quelques instants. Son grand frère, celui qui était allé à l'école de réforme d'Alfred pour s'être battu avec le principal de l'école, lui avait expliqué qu'on pouvait grimper la clôture mais qu'il faudrait faire attention aux gardiens. S'ils nous attrapaient, ils nous mettraient dehors à coups de pied dans le cul, peut-être même qu'ils appelleraient la police. Faudrait être prudents.

On a fait le tour de la place, mais on s'est rendu compte que la clôture était pas mal haute, même pour un grand gars comme Larry, et qu'il y avait des gardiens partout. C'était dangereux. J'ai eu une meilleure idée. Des groupes de jeunes arrivaient par autobus et entraient par une porte spéciale réservée pour eux ; personne ne leur demandait leurs billets. Ça fait que j'ai dit aux deux autres : « Attendez, regardez-moé ben faire… » Et je les ai plantés là sans rien dire. Ç'a été facile comme bonjour.

Je suis allé me mettre à côté d'un autobus scolaire qui venait d'arriver, je me suis mêlé au groupe qui sortait, et comme tous les jeunes avaient des boîtes ou des sacs à lunch, j'ai vite ramassé un sac vide qui traînait par terre pour avoir l'air comme eux. Je me suis tenu assez près du groupe pour donner l'impression d'en faire partie, mais pas trop pour ne pas qu'on me rejette. L'instant d'après, je faisais des grands signes de triomphe à mes deux chums de l'autre bord de la clôture. Ça faisait deux fois que j'étais le premier arrivé, je me trouvais tellement bon, vous savez pas comment !

Bobby n'a pas été long à faire comme moi. Il est entré avec un groupe de petits écoliers juifs qui avaient des calottes sur la tête. Il n'avait pas de calotte, mais il y avait tellement de groupes qui arrivaient en même temps que personne n'a eu le temps de s'apercevoir que Bobby était catholique. On s'est retrouvés, lui et moi, avec des cris de joie, on aurait juré qu'on était deux frères qui ne s'étaient pas revus depuis vingt ans. Hé qu'on était contents ! Avoir été seul au monde et ensuite être deux, même aujourd'hui, je ne connais pas de plus grand bonheur.

Il restait à faire entrer Larry. De son côté de la clôture, il avait l'air d'un orphelin. Il traînait autour en donnant des coups de pied sur des casseaux de frites vides. Pauvre lui, il était trop grand pour se faire passer pour un écolier d'un groupe ; surtout que, comme il ne valait rien à l'école, la dernière chose au monde qu'il voulait, c'était de se faire passer pour un écolier. Et je pense que sa dernière aventure l'avait rendu moins brave. Il est venu s'accoter contre la clôture pour nous parler. L'air écœuré, il a dit : « Bon, ben, ça commence à être plate icitte… Je pense que j'ai plus envie d'y aller. Je vas m'en retourner chez nous, je pense. » Bobby et moi, on voulait qu'il reste ; après tout, c'était son idée à lui, d'aller à l'Ex. S'il était reparti, on aurait eu l'impression de lui avoir volé une bonne idée, puis ça, c'est pas correct.

Là, ç'a été au tour de Bobby d'avoir une bonne idée. Il avait remarqué que les visiteurs payants se faisaient donner un ticket rouge qui était bon pour la journée. Mais beaucoup de gens le jetaient par terre une fois entrés, ou ils l'échappaient parce qu'ils ne faisaient pas attention. Bobby en a ramassé un par terre, puis un autre. Et là, il est allé trouver un gardien : « Monsieur, j'ai oublié quelque chose dans l'auto de mon père, est-ce que je peux rentrer avec mon ticket ? » Le gars a dit oui.

Mon Bobby est sorti comme si de rien n'était, il a dit deux mots à l'oreille de Larry, et ils sont allés tout de suite à une autre entrée. Les deux ont montré leurs tickets rouges aux gardiens, mais l'un d'eux leur a demandé : « *Are you sure you paid for that ticket ?* » Le gardien, pas fou, devait avoir remarqué que Larry avait attendu pas mal longtemps devant la grille. C'est là que Bobby a eu sa deuxième idée de génie de la journée, comme quoi il apprenait plus vite qu'on pensait. «Excusez, nous autres, on parle pas l'anglais...» Un autre gardien leur a fait signe qu'ils pouvaient entrer. On s'est retrouvés les trois du bon côté de la clôture, fous comme des balais, on se donnait des claques dans le dos, et pour la première fois depuis qu'on se connaissait, j'ai eu l'impression qu'il n'y avait plus de chef entre nous, que nous avions tous le même âge et que nous étions trois, et non plus deux plus un. Ça valait vraiment la peine d'être allés à l'Ex avec Larry.

Midi n'était même pas arrivé que j'avais compris que j'étais en train de vivre le premier vrai beau jour de ma vie.

Je ne pensais plus à l'été le plus plate de l'histoire mondiale; je ne pensais plus à l'argent de la coupe de cheveux; mes parents, mes frères, toute ma famille avait disparu; et je pensais encore moins à ce qui allait m'arriver si on découvrait que j'étais allé à l'Ex sans permission. Même que je suis devenu un peu snob sur le coup: je regardais tous ces enfants de mon âge accompagnés de leurs parents, et je les trouvais un peu quétaines; je me sentais supérieur à mes contemporains pour la première fois de ma vie. Avec mes deux amis, je formais une nouvelle famille heureuse pour l'éternité. Une éternité qui allait durer au moins un beau jour d'août.

Larry n'a pas tardé à nous faire oublier ses trahisons et ses déconvenues. Il nous entraînait dans des mauvais coups qu'il imaginait sans effort, mais pour une fois, il ne jouait plus à celui qui connaît tout, même qu'il nous écoutait quand on lui parlait. Sans jamais cracher par terre. Ça fait que Bobby et moi, on avait de plus en plus le goût de prendre des risques.

Il fallait payer pour entrer dans les manèges : la grande roue, les toupies tournantes, les autos tamponneuses, les montagnes russes, le palais aux miroirs déformants, le tunnel aux monstres. Mais Larry avait imaginé un stratagème. Dès que les gens s'attroupaient pour entrer dans un manège, on fonçait tous les trois, avec Larry en tête parce qu'il était plus gros et plus fort que nous, et on passait en vitesse devant le gardien en lui montrant des billets déchirés qu'on avait ramassés par terre. Il y avait tellement de monde, il faisait tellement chaud, le gardien avait l'air tellement écœuré de sa job plate qu'il nous laissait passer. Une fois seulement, un gardien plus gros que les autres nous a fait sortir en menaçant d'appeler des renforts. On est sortis, mais en passant la barrière, Bobby lui a crié : « Salut, gros tas ! » Le gars a fait semblant de partir après nous autres, mais on s'est sauvés en riant comme des maniaques. Des fois, il y avait des gens qui se plaignaient de nous autres parce qu'on leur marchait sur les pieds ou qu'on les tassait du coude. Mais on ne les écoutait pas, on était là pour se faire du fun, nous autres. D'autres fois, on faisait brailler des enfants parce qu'on leur volait leur place, mais ça ne nous faisait rien. Même qu'on riait d'eux autres deux fois plus fort.

On est aussi allés voir les vaches, les cochons et les chevaux à l'exposition agricole. L'entrée ne coûtait rien. On a lancé des petites roches aux gros cochons pour rire, puis quand un monsieur avec un chapeau nous a dit d'arrêter, c'est moi qui lui ai dit d'aller se gratter le derrière! C'était la première fois de ma vie que j'insultais une grande personne. Le bonhomme a dit qu'il allait me rapporter à la police, mais je n'ai pas eu peur, je n'ai même pas bougé d'où j'étais. Je ne m'étais jamais senti aussi homme. On a été obligés de partir quand on s'est mis à niaiser devant un étalon tellement bandé que sa graine ressemblait à un bâton de baseball. Mais comme il y avait des madames autour de nous, quelqu'un s'est plaint, puis on a sacré le camp. C'était drôle pareil.

Non seulement on était trois, mais il y avait aussi la foule autour de nous qui nous protégeait des gardiens et de la police. On pouvait faire n'importe quoi puis juste se sauver après. On venait de découvrir que la foule est un déguisement qui permet toutes les folies.

On a fini par se fatiguer de marcher sur les pieds du monde, de donner des coups de poing ou de voler des places dans les manèges à des plus petits que nous autres, d'insulter des vieux ou des gros qui ne couraient pas vite. On s'est mis à avoir faim tout à coup.

Bobby a eu une idée : on n'avait rien qu'à commander des hot-dogs pis des Coke à un stand et à s'en aller sans payer. Larry trouvait ça trop risqué. Ce serait difficile de courir avec les mains pleines de toute façon. C'était la première fois que je le voyais reculer devant un mauvais coup, la première fois que je le voyais réfléchir aussi. Je ne sais pas si j'ai été déçu ou impressionné. En tout cas, j'avais faim.

Bobby, encore lui, a dit : « Laissez-moi faire. » Il s'est éloigné de nous autres. Il devenait moins peureux, lui. Même que ça commençait à m'inquiéter un peu parce que Larry lui parlait de plus en plus souvent ; même que, des fois, les deux se disaient des secrets puis ils riaient ; bientôt, il faudrait que je fasse un autre mauvais coup ou que j'aie une sacrée bonne idée pour que Larry me reparle.

Tout d'un coup, mon Bobby est revenu en courant avec un gros sac et il nous a dit de le suivre. C'est ça qu'on a fait. On a couru un bout de temps, et là, on s'est cachés derrière une espèce de roulotte avec un gros tigre dessiné dessus. Bobby a ouvert le sac, tout excité : il y avait dedans plein de sandwichs, des pommes et des galettes. Je n'en revenais pas ! Il avait volé le piquenique d'une famille entière ! « C'était facile, qu'il a dit, la bonne femme avait le dos tourné, elle changeait la couche de son bébé, pis le bonhomme était allé chercher des liqueurs avec les autres enfants. Je suis certain qu'y se sont aperçus de rien ! Y doivent le chercher, leur lunch, astheure ! » C'est là que j'ai compris que je ne ferais jamais un bon bum : je ne serais jamais capable de voler le manger de toute une famille, qui avait dû payer en plus pour entrer à l'Ex.

Mais j'avais trop faim pour avoir des remords tout de suite, puis comme on était trois, c'était plus facile d'oublier que c'était un vrai mauvais coup. J'ai mangé avec les deux autres, mais sans y prendre plaisir parce que tout ce manger volé à une famille nombreuse avait le goût du mal. Les deux autres, ils n'avaient pas l'air d'avoir de remords. Des fois, Larry prenait une bouchée d'une pomme et la lançait aussitôt au bout de son bras. Bobby arrachait la croûte des sandwichs et la jetait aux mouettes. Heureusement, les sandwichs n'étaient pas vraiment bons : ils étaient au beurre de pinottes avec de la confiture de fraises, même pas de beurre dedans. Ça fait que je me suis senti moins mal de les manger, comme si ma bouche était punie d'avoir volé une famille qui ne devait pas avoir beaucoup d'argent. C'est drôle la manière dont on apprend que, dans le fond, on est plus honnête qu'on voudrait. Évidemment, j'ai gardé mes pensées pour moi. Et pour me rapprocher un peu des deux autres qui n'arrêtaient pas de rire sans moi puis qui ne me regardaient même plus, j'ai garroché un cœur de pomme à un pigeon, mais je l'ai manqué. Mes affaires allaient de plus en plus mal.

Là, on s'est mis à avoir soif. J'ai pensé qu'on était encore punis d'avoir privé une famille de sa nourriture. Le ventre trop plein de pain malhonnête et la bouche sucrée, on est allés se promener. Dans ma tête, une phrase me revenait sans cesse : je voyais la manchette d'un journal qui disait « Une famille retrouvée morte de faim à l'Ex ». J'en avais le cœur gros et je ne parlais plus.

En plus d'avoir la conscience torturée, le soleil qui nous tapait sur la tête me donnait le goût d'une orangeade, tellement que j'en avais mal à la gorge. Bobby n'arrêtait pas de parler de Pepsi et Larry de Coke. Je savais que Bobby avait de l'argent dans ses poches, mais pour rien au monde il n'aurait voulu acheter de quoi avec ; ça aurait été comme briser un pacte avec nous autres, il fallait être bum jusqu'au bout.

À un moment donné, Larry a dit : « On va aller boire de l'eau aux toilettes. » Il savait qu'il y avait une fontaine là. On y est allés, c'était mieux que rien. On a bu en masse, après on est allés lâcher de l'eau avant de recommencer nos folies.

Il y avait beaucoup de monde aux toilettes. Larry nous a dit qu'il y avait là des fois des monsieurs qui donnaient de l'argent aux petits gars pour qu'ils baissent leurs culottes et les monsieurs leur poignaient le moineau. J'ai deviné que Bobby commençait à avoir peur d'être là, mais moi, je n'ai pas cru Larry. Voir si ça se peut, des affaires de même…

En tout cas, on s'est arrangés pour pisser ensemble tous les trois. Une chance qu'on n'avait pas envie de faire caca, il fallait payer dix cents pour entrer dans la cabine, puis nous, on ne voulait pas payer pour rien. On allait sortir, et il y avait moins de monde autour de nous, quand tout à coup un gars est entré aux toilettes. Il était habillé en marin, ça devait être un vrai, faut croire. Il marchait drôle, le gars, les fesses serrées. Il a tenté d'ouvrir la porte d'une cabine chiante, et là, il a fouillé dans ses poches. Bobby a murmuré : « Regarde, on dirait qu'y va faire dans ses culottes… » Le gars suait beaucoup, ça se voyait sur son front. Puis là, il s'est tourné vers nous autres, les jambes serrées, un pied sur l'autre, il a sorti un dix piastres de sa poche et il nous a demandé : « Les gars, vous auriez pas du change pour dix piastres ? »

Larry n'a fait ni une ni deux. Il lui a arraché le dix piastres des doigts en disant : « Certainement ! » La seconde d'après, il nous criait : « Venez-vous-en, c'est moé qui paye le Coke ! » On s'est sauvés avec lui en hurlant. On avait tout de suite compris que le gars ne courrait pas après nous autres : essayez donc de courir après trois gars avec une envie de chier sensationnelle, ça ne se fait pas, c'est impossible, même dans les vues ça ne se voit pas.

Je pense que j'ai ri de même trois fois dans ma vie, et je ne me souviens pas des deux autres. On courait tellement vite et on avait tellement envie de rire qu'on a été obligés de s'arrêter parce qu'on avait trop mal au ventre. On s'est cachés derrière la grande roue pendant un bout de temps, puis après, Larry nous a payé la traite sous une tente où on vendait de la liqueur. On se sentait tellement riches qu'on s'est même fait servir à table ! On a bu des Coke, de la liqueur à la lime, à la grapette, à l'orange, on a failli exploser, les trois. Si on avait écouté Bobby, on aurait bu tout le dix piastres. Mais quand il a demandé un crème soda rouge, sans même dire s'il vous plaît, Larry lui a dit non. « T'en as assez eu ! » Il avait raison, et après tout, c'était son argent.

Après, on avait vraiment de la misère à marcher. On s'est mis à traîner à gauche puis à droite en cherchant une place où on pourrait s'effoirer tranquilles. La journée était encore belle, mais ça ne nous tentait plus d'aller dans les manèges ; on craignait d'être malades, personne ne l'a dit, mais je l'ai pensé. Bobby avait envie d'aller aux toilettes, mais il avait peur de tomber sur le marin qui était peut-être encore là. Ça fait que là, Larry puis moi, on s'est mis à parler de marde pis de pisse, et Bobby riait tellement qu'à un moment donné il ne pouvait plus attendre : il a fallu qu'il aille faire son tas entre deux tentes, puis à tout bout de champ on lui criait que quelqu'un s'en venait. Pour se torcher, il a dû prendre son caleçon pis le jeter après ; ça fait qu'il s'est promené le reste de la journée le cul à l'air dans ses pantalons. On a assez ri ! J'ai même senti à ce moment-là que Larry était redevenu mon ami plus que le sien.

Après, on a continué de niaiser sur le terrain de l'Ex. On ne savait pas trop quoi faire. Riche comme il était, Larry a décidé de faire le tour des baraques foraines : les concours de tir à la carabine pour gagner des animaux en peluche, les trios de bouteilles qu'il faut faire tomber avec une balle, les assiettes qu'on fracasse, des affaires comme ça. Il a tout essayé, mais il n'a rien gagné ; les deux autres, on le suivait ; pas une fois il ne nous a offert de jouer avec lui, il gardait tout pour lui. Mais il a acheté un paquet de cigarettes, des British Consols, et il nous en a donné chacun une. J'ai trouvé ça fin. J'ai mis la mienne sur mon oreille, comme les toffes. Mais quand Bobby lui en a quêté une deuxième, Larry lui a donné une poussée. Ça fait que j'ai donné ma cigarette à Bobby. Je commençais à trouver que l'argent avait rendu Larry pas mal baveux. Tout à coup, j'ai eu l'impression qu'il voulait se débarrasser de nous deux.

Plus tard, on a aperçu une grande tente avec des

dessins de belles femmes dessus : des femmes arabes avec des voiles, des gros seins et le nombril à l'air. Il fallait payer pour entrer. Larry nous a dit de l'attendre dehors. Il est entré, il en est ressorti au bout de dix minutes en riant. Il a dit que c'était plein de femmes toutes nues dans la tente. « Des vraies femmes toutes nues ? » qu'on lui a demandé, les yeux grands ouverts. Bobby, vu qu'il avait de l'argent dans ses poches rien qu'en masse, a dit : « Faut que j'aille voir ça ! » Mais Larry n'a pas voulu qu'il y aille. « Si tu rentres là, ils vont appeler la police, pis on va coucher au poste tous les trois à soir. À part ça, t'es trop jeune, vas-y pas. Mais venez avec moi, je vas vous raconter ça... » On est allés s'asseoir à une table de pique-nique, et Larry nous a raconté les femmes toutes nues. Il faisait moins chaud, on était fatigués, et on avait envie, les trois, de parler de femmes toutes nues.

À un moment donné, j'ai demandé aux deux autres ce qu'ils feraient s'ils étaient couchés sur un matelas et entourés de femmes en bikini, comme celles qu'on avait vues dans le concours de beauté de l'Ex. Bobby a répondu sans hésiter : « Moi ? Je les chatouillerais ! » J'ai trouvé ça drôle. Larry aussi a ri. Puis, on a parlé d'autre chose.

Des années plus tard, j'ai compris que Larry était entré dans la tente d'une cartomancienne, la princesse Jasmina du Yémen, qui n'était pas plus arabe que mon cul. Ce n'était pas grave, il nous avait fait rêver cochon avec ses menteries.

Là, je commençais à être écœuré de toute cette

chaleur, de toutes ces courses ; je n'avais plus faim de rien, plus soif non plus, mais j'étais encore heureux. Non seulement je me sentais un peu homme parce que j'avais fait un paquet d'affaires que je n'avais jamais faites, et sans la permission de personne, mais je commençais même à me sentir un peu bum. Cette idée-là me donnait des muscles que je n'avais jamais eus, des plans dans la tête que je n'aurais jamais imaginés avant. Désormais, je cesserais de ressembler à mes frères. Dans la foule de l'Ex, j'étais devenu quelqu'un d'autre. Quelqu'un, en tout cas.

Mais parler de femmes toutes nues avait donné de nouvelles idées à Bobby. « Hé, les gars, on se poigne-tu des filles ? Regarde les trois qui sont là, on leur demande-tu à sortir avec nous autres ? » Larry s'est mis à rire fort ; je n'étais pas sûr que ça me tentait, mais je ne disais rien. Elles étaient belles, les trois. Bobby a dit ensuite : « Je vous gage que je suis capable d'aller leur demander si ça leur tente de sortir avec nous autres à soir… » J'ai presque eu envie qu'il le fasse pour qu'il me donne le courage de faire pareil. Larry riait toujours aussi fort.

Puis Larry a arrêté de rire tout d'un coup et il s'est levé. « O.K., les gars, ça va faire. Faut que je m'en aille, je suis tanné de me tenir avec des ti-culs. Bye. » Il s'en est allé pour de vrai, la cigarette au bec, les pouces dans les poches. Bobby et moi, on n'a rien dit. Mais tout à coup, on se sentait comme perdus sans Larry. J'ai eu de la peine, je me rappelle, surtout avec Bobby à côté de moi qui ne disait rien. C'était à notre tour d'avoir l'air orphelins.

Larry n'est pas allé bien loin. En nous quittant, il a croisé deux grands gars qui étaient avec leurs blondes, les filles pendues à leurs bras. Il devait se sentir plus homme que bum, Larry, parce qu'il a bousculé un des gars, puis quand l'autre lui a dit de faire attention, il s'est retourné et il a regardé sa blonde de haut en bas, au milieu surtout, avec un sourire baveux en plus. Ça n'a pas été long que mon Larry a mangé deux ou trois claques sur la gueule ; les gars l'ont jeté par terre, puis quand il s'est relevé pour se sauver, un des deux lui a donné un coup de poing dans la face et l'autre un gros coup de pied dans les balles. « Retourne chez vous, tite-graine ! » qu'ils lui ont dit. Les blondes des gars riaient et criaient en se cachant le visage dans les mains.

Il faisait tellement dur, Larry, que Bobby et moi, on a eu pitié de lui. On est allés le relever après que les vrais bums sont partis. Il braillait, il ne pouvait pas se retenir. Sur le moment, je me suis senti totalement démuni, comme si mes douze ans m'étaient revenus d'un grand coup. Bobby ne disait rien, la vue du sang à la bouche de Larry lui donnait envie de perdre connaissance. Nos forces nous sont revenues juste à temps : Bobby a aperçu le marin des toilettes qui se promenait avec trois autres marins plus gros que lui. On a sacré le camp, et Larry courait plus vite que nous. On l'a perdu dans la foule, on ne l'a plus revu après. On le comprend, il était plus coupable que nous autres, puis il n'avait pas envie de manger une deuxième volée, qui aurait été pire que la première parce qu'il l'aurait méritée, celle-là.

Il commençait à faire noir. Bobby a dit qu'il fallait qu'il retourne chez eux. Il a appelé son père, qui est venu le chercher avec son auto neuve. Bobby m'a demandé de l'attendre avec lui à la clôture pour qu'on soit deux si jamais les marins nous voyaient. Quand son père est arrivé, il m'a dit bye, il a embarqué dans le char, puis ils sont partis. Juste de même. J'ai pris l'autobus pour retourner chez nous. Mais là j'ai payé les quinze cents qu'il fallait, j'étais tanné de faire le délinquant parce que je n'en étais pas vraiment un.

Comme de raison, je suis arrivé tard à la maison. L'heure du souper était passée. Ma mère et mes frères m'attendaient. J'avais passé une journée tellement belle que je ne n'avais pas eu le temps d'imaginer la suite.

Ma mère s'est levée et m'a dit : « Viens icitte, toé. Mets tes mains derrière ton dos. » J'ai fait comme elle a dit, puis j'ai mangé la claque sur la gueule de ma vie. (C'est ça que j'ai pensé sur le coup, mais je me trompais, j'en ai mangé des pires plus tard.) Et je n'ai même pas demandé, comme d'habitude : « Qu'est-ce que j'ai fait ? » Je le savais trop bien, ce que j'avais fait, puis elle avait vraiment l'air de le savoir aussi. Ensuite, maman a dit : « Va t'asseoir dans le salon, ton père va arriver, pis y va te parler ! » Mes frères riaient comme des malades.

Je suis allé m'asseoir dans le salon, mais je ne comprenais pas trop bien ce qui se passait : je ne pouvais pas avoir mangé cette claque-là rien que pour être rentré tard… Mes frères, un à un, sont venus me rejoindre au salon. J'imagine qu'ils voulaient assister au savon que mon père allait me passer. Et là, ils m'ont tout expliqué. Je n'en revenais pas : ce sont eux qui m'ont raconté ma journée à l'Ex, pas moi. Ils savaient tous les détails. Que j'avais pris l'autobus et que j'étais entré à l'Ex sans payer, les manèges, le lunch volé, le dix piastres du marin, tout y passait, à croire qu'ils m'avaient suivi et que je ne m'en étais pas aperçu. Ils riaient fort, les maudits... Ils m'ont finalement expliqué que la mère à Bobby avait téléphoné à maman, elle lui avait tout raconté, puis maman leur avait tout répété. L'écœurant à Bobby, je gage qu'il avait tout mis sur mon dos...

Le reste s'est mieux passé. Mon père est arrivé, et quand il a mis le pied dans le salon, j'ai sorti les trente-cinq cents qui me restaient pour la coupe de cheveux et je les ai mis sur la table. Il avait l'air fatigué. Il s'est contenté de soupirer fort en me regardant avec ses gros yeux. Il m'a envoyé me coucher ; on en reparlerait le lendemain. Heureux en dedans de moi de ne pas avoir été humilié une seconde fois devant les autres, je suis monté en regardant mes frères avec mépris, avec un air qui disait : « Vous autres, vous êtes trop pissous pour oser faire ce que j'ai fait... »

J'ai été puni, privé de sortie pendant une semaine, ce qui ne changeait pas grand-chose à la platitude de cet été-là, condamné aussi à copier dix pages de l'Évangile. Au moins, mon père ne m'a pas donné de coups de ceinture. Ça a dû faire chier mes frères, ce qui était toujours ça de pris. Puis quand ils me demandaient de leur raconter ma journée à l'Ex, je ne leur disais rien. Et ça, ça les fâchait encore plus. Je voulais qu'ils imaginent pire que ce que j'avais fait, et c'est ce qui est arrivé. Ben bon pour eux autres! Ça ne m'a rien fait d'être puni. L'été s'achevait de toute façon et, pour la première fois de ma vie, j'étais content de retourner à l'école. Je n'ai pas revu l'écœurant à Bobby en septembre. Il avait changé d'école. Tant mieux pour lui parce que j'aurais dit à tout le monde qu'il n'était rien qu'un maudit bavasseux.

Larry avait changé d'école, lui aussi. On l'avait envoyé à l'école terminale parce qu'il avait redoublé sa septième année pour la troisième fois. Il allait apprendre un métier; c'était pas pire, ça; au moins, il n'est pas allé à l'école de réforme comme son autre frère.

Je l'ai revu une fois à l'automne, au bazar du Patro. Il était avec une gang de gars de l'école terminale, des vrais toffes. Je me souviens qu'il avait l'air petit à côté d'eux. Je lui ai envoyé la main. « Salut, Larry! » Mais quand je me suis approché de lui, il a quitté son groupe et m'a donné une bonne poussée : « Qu'est-ce tu veux, toé, câlice?! Enwoye, scramme, dégosse! Retourne chez vous, tite-graine! » Je me suis en allé sans demander mon reste. Les gars avec lui riaient de moi, et lui, il riait trois fois plus fort. Ça ne m'a rien fait, mais j'avoue que cet épisode-là a gâché pour toujours le beau souvenir que je voulais conserver de ma seule journée à l'Ex.

Je les ai revus, les deux autres, mais beaucoup plus tard. À l'Ex, en plus.

À part la rencontre que je viens de mentionner,

j'étais resté sans nouvelles de Larry. Par contre, j'ai entendu de plusieurs témoins qui n'étaient pas là le récit de son combat à l'Ex. Dans son histoire, c'étaient des marins qui l'avaient attaqué; après qu'il a eu raconté ses exploits à trente-deux gars, les marins n'étaient plus trois, ils étaient quatorze. Il en avait assommé cinq ou six à coups de poing, et il avait fallu qu'on le frappe par-derrière avec un gros bâton pour qu'il tombe. Ça me fâchait d'entendre ces menteries-là, surtout qu'elles étaient répétées par des gars crédules qui juraient que c'était vrai. « C'est Larry lui-même qui me l'a dit! » Heureusement, les incrédules étaient plus nombreux, comme quoi il y a une justice qui punit les menteurs.

Bobby? Ni vu ni connu. Sa mère, la belle femme en tunique blanche qui sentait si bon, avait disparu de la pharmacie. Le père et sa belle auto aussi.

Quand j'ai revu Larry à l'Ex, j'étais là avec ma blonde, et vous ne le croirez pas, mais mon Larry se promenait le long de la clôture en habit de gardien. J'ignore pourquoi, mais je n'ai pas été étonné de le revoir dans ce rôle-là. Peut-être que ça prend d'anciens délinquants pour attraper les nouveaux d'aujourd'hui. Ça a de l'allure. Nos regards se sont croisés, il ne m'a pas salué, ni moi non plus, mais je suis sûr qu'il m'a reconnu puisqu'il a détourné les yeux. Ça m'arrangeait. Je n'aurais pas voulu avoir à le présenter à ma blonde : quand on se veut respectable et respecté, on préfère oublier les fréquentations douteuses de notre jeunesse. Je ne sais pas ce qu'il est devenu.

Bobby, ça a été une autre histoire. Ma blonde était devenue ma femme et moi son mari, et on était allés faire un tour à l'Ex parce que le pavillon des vaches et des cochons était devenu le Salon de l'habitation d'Ottawa. On voulait s'acheter une maison et des meubles, et on était allés voir les maisons témoins.

Tout à coup, j'ai entendu une voix derrière moi. « Thomas, Thomas ! » Oui, c'était mon Bobby, mais une chance qu'il m'avait reconnu parce que moi, je n'aurais pas pu. Il faisait plus de six pieds deux, avec des mains et des bras de colosse, de longs cheveux roux, une belle barbe blonde et des lunettes fines. On s'est serré la main, et il s'est présenté à ma femme avant que j'aie pu ouvrir la bouche : « Bonjour, moi, c'est Robert, un ami d'enfance de Thomas, de la Côte-de-Sable. » Je lui ai demandé ce qu'il faisait de bon. Il a pointé le doigt vers un petit groupe d'enfants handicapés qui se tenaient pas loin de nous, tous bien sages. « J'ai étudié en service social, je suis conseiller dans un foyer de jour. C'est ça qui est ça… » La transformation de ce gars-là était si totale que je n'ai pas trouvé les mots pour lui dire à quel point la surprise m'était agréable. Il m'a donné sa carte. « Appelle-moi un de ces jours… Au revoir, madame. Salut, Thomas ! » Il est reparti avec son groupe. « Beau bonhomme », a dit ma femme.

Je ne l'ai plus jamais revu. Il doit être rendu à Toronto. Chez nous, c'est toujours ça qu'on dit de quelqu'un qui a disparu de la circulation : « Pour moi, il doit être rendu à Toronto astheure… » Quand on a dit ça, on a tout dit.

Ce que j'aurais vraiment aimé, ça aurait été de les retrouver tous les deux à l'Ex le même jour. Mais ça ne s'est pas passé comme ça. La vie ne fait pas ce qu'on veut.

Je ne suis jamais retourné à l'Ex d'Ottawa. Par contre, je suis allé souvent à La Ronde de Montréal et au Wonderland de Toronto avec mes enfants. Puis ils ont grandi, et j'ai cessé de fréquenter ces lieux-là. Je le regrettais un peu parce que j'ai tellement aimé ces manèges qui font peur même aux adultes, la barbe à papa qui colle aux doigts, les pommes de tire rouge, les baraques foraines où il m'est arrivé, adulte, de gagner les toutous que je désirais enfant. Comme disait l'autre, il n'est jamais trop tard pour avoir une enfance heureuse.

Plus tard dans la vie, un beau hasard m'a prêté une fille. Elle s'appelle Karina. Elle est douce, intelligente, raisonnable, tout ce que je n'étais pas à son âge.

Un jour, elle devait avoir huit ans, je lui ai promis de l'emmener à La Ronde si elle travaillait bien à l'école cette année-là. (Ce qui ne manquait jamais d'arriver.) Je l'ai fait languir avec cette promesse pendant des mois en lui racontant les plaisirs que j'avais connus autrefois, mais en taisant bien sûr mon passé de délinquant d'un jour.

Nous sommes partis pour La Ronde un matin d'août où il pleuvait des sardines. Nous avions parié que le soleil reviendrait. Nous avons eu de la chance.

Nous sortions tout juste du métro quand le soleil est réapparu, et comme nous avions été rares à croire en ce miracle, nous n'étions qu'une douzaine à franchir les portes de La Ronde.

La Ronde nous appartenait alors, à Karina et à moi. Le tourniquet franchi, ma fille a serré ma main dans la sienne et dit d'une voix d'enfant comblée : « Thomas, c'est le plus beau jour de ma vie ! »

Elle ne croyait pas si bien dire. J'ai seulement répondu : « Moi aussi... »

Rocky

On m'appelle Rocky, mais ce n'est pas mon nom. C'est celui d'un employé de la quincaillerie qui a été congédié l'an dernier; il s'appelait Roch et se faisait appeler Rocky. Maintenant, le seul Rocky ici, c'est moi. À mon premier jour, le gérant a dit : « Écoute, ça coûte cher, les badges. Ça fait que ça te dérangerait-tu de prendre celui-là? Je dirais pas que tu ressembles au vrai Rocky, mais le nom t'irait bien, me semble. Autrement, ça va prendre une semaine, te commander un autre badge avec ton nom à toi. Un paquet de trouble, tsé veux dire? » Je voulais tellement la job que je lui ai répondu que ça ne me dérangeait pas.

C'est vrai que ça ne me dérange pas; pas plus que la chemise réglementaire aux couleurs de la chaîne de quincailleries à laquelle je dois désormais ma subsistance. Au début, j'en riais même, je me trouvais drôle de travailler sous un nom d'emprunt; aujourd'hui, je ne fais même plus attention. « Bonjour, Rocky. Au revoir, Rocky. Merci, Rocky… » « Allez voir Rocky, madame, il va vous trouver ça tout de suite… » « Monsieur, demandez à Rocky de vous expliquer quelle peinture ça vous prend. Rocky, il connaît ça, vous allez voir! » « À demain, Rocky… »

Ce sont les autres que ça dérange. Dont mes collègues de la quincaillerie qui s'ennuient encore du vrai Rocky, qui avait le tour comme personne pour vendre n'importe quoi aux clients et s'en faire aimer. Dommage qu'il volait.

Mais ceux que ça dérange le plus, ce sont les clients qui m'ont connu plus jeune et qui ont du mal à me reconnaître en employé de quincaillerie. Leur surprise m'amuse ; leur compassion aussi. Certains me disent, mais à voix basse pour éviter que les autres employés entendent, que j'étais trop bien parti dans la vie pour finir comme ça. « Qu'est-ce tu fais ici ? Qu'est-ce qui t'est arrivé ? » Je les rassure sur mon sort, et ils repartent contents, comme s'ils avaient fait une bonne action. Il y en a même qui me disent qu'il faudrait bien qu'on aille prendre un café une bonne fois, ou une bière même. Ils repartent sans me laisser leurs coordonnées (que j'ai bien pris soin de ne pas leur demander, et je ne leur ai pas communiqué les miennes non plus). Nous ne sommes pas hypocrites, juste polis : on parle pour parler, et des fois, c'est vrai que ça fait du bien. De toute façon, ce n'est pas grave : moi non plus, je n'ai pas envie de les revoir. On n'aurait rien à se dire de toute façon.

Ce qui me fait le plus plaisir, c'est quand on ne me reconnaît pas du tout. Moi, je reconnais les autres, mais eux, ils ne savent pas, ils ne se rendent pas compte. Déjà que j'ai toujours eu un certain air anonyme qui faisait qu'on me confondait souvent avec un autre ou qu'on se trompait sur mon nom, ma vie nouvelle m'a rendu encore plus méconnaissable : j'ai perdu beaucoup de poids depuis ma maladie, je ne porte plus de lunettes et je me teins les cheveux. Je me retrouve ainsi parfois en présence de gens dont j'ai été très proche, en affaires ou en amitié. Ils me regardent et voient quelqu'un d'autre. Je deviens l'Homme invisible. Alors je les fais parler d'eux un peu, et j'adore les entendre mentir ou exagérer leurs petits mérites. Leurs faiblesses compréhensibles, leur vanité inoffensive m'attendrissent.

Des fois, cependant, il m'arrive de revoir à la quincaillerie des gars qui ont été de vrais amis dans le temps. Ça me fait plaisir de les saluer, même s'il y a toujours un petit moment de gêne quand ils me replacent. Il y en a qui sont tellement embarrassés qu'ils s'en vont au bout de quelques minutes sans acheter ce qu'ils étaient venus chercher. Ceux-là ne reviennent jamais. D'autres ont l'air tellement peinés de me reconnaître sous ma chemise d'employé et mon nouveau nom qu'ils n'osent même pas me demander ce que je fais là. Ils font comme si de rien n'était, ils ménagent ma dignité, mais leur pitié crève les yeux. Alors je les guide vers les clous ou les teintures à bois qu'il leur faut ; je leur donne des conseils sur l'usage des outils sur un ton très connaissant, je leur montre le dernier barbecue au gaz, et je les dirige vers la caisse sans faire de commentaire. Enfin — mais c'est très rare —, quelques-uns me demandent comment j'ai pu aboutir là. Je le leur dis. Ils m'écoutent, et ça me fait plaisir.

J'étais avocat. Membre du barreau et tout. Ça m'avait pris tout mon petit change pour le devenir, mais j'y étais arrivé. À la fin de mon baccalauréat en biologie, la Faculté de droit, Section de common law, de l'Université d'Ottawa n'avait pas voulu de moi : mes notes étaient trop faibles et mon anglais, insuffisant. J'ai dû faire un diplôme d'administration de plus pour augmenter mon score et m'améliorer en anglais. C'est à ce prix que j'ai été admis. En première année de droit, j'en ai tellement arraché que j'ai été tenté plus d'une fois de tout lâcher. Je me suis accroché, et j'ai passé de justesse. Par la peau des dents, comme on dit. J'ai même eu la satisfaction méchante de voir au moins quatre baveux de ma classe échouer lamentablement. Des gars qui se pensaient bons, qui se permettaient de rire des autres, qui se répandaient en propos désobligeants sur les quelques filles de la classe parce qu'elles étaient meilleures que tous les autres, qui jouaient des tours cruels à un pauvre condisciple qui avait le malheur d'être gros. Les quatre ont failli comme des rats, comme on disait aussi. À la rentrée de deuxième année, moi qui ne disais jamais un mot plus haut que l'autre et qui étais gêné d'exister, j'étais encore là, et pas eux. (Bon débarras, câlice !) Et j'avais rajouté en moi-même : « Pis si vous venez me consulter un jour, quand je serai avocat, vous allez recevoir une belle facture payable dans les trente jours, mes esties ! » J'avais pensé à ce moment-là — j'étais encore naïf — qu'il existait donc une justice dans ce bas monde et qu'elle favorisait les gars dans mon genre qui ne font pas de bruit mais qui n'écœurent pas leur prochain.

Les deux autres années se sont mieux passées,

après quoi j'ai fait mon stage dans un petit bureau de Vanier, qui était dans ce temps-là une banlieue d'Ottawa. Une belle année. Je me rappelle qu'à mes débuts je tremblais dans mes culottes quand mes patrons m'envoyaient à la cour ou chez d'autres avocats, mais tout le monde était gentil avec moi. Les secrétaires m'appelaient « monsieur Francœur » quand je suis entré dans ce bureau-là. Après, elles disaient seulement « Thomas » ou « Tom », mais ça ne me faisait rien : je ne me suis jamais pris pour un autre.

J'ai trimé dur encore une fois à l'école du barreau, mais ça n'a duré que six mois. Quand j'ai été reçu avocat, mes grands-parents et mes parents ont assisté à la cérémonie, et les quatre pleuraient tellement ils étaient contents. J'étais le premier avocat de la famille. Les années suivantes, quand ma grand-mère jasait avec ses amies, peu importe le sujet de conversation, il fallait qu'elle commence sa phrase ainsi : « Mon petit-fils, maître Francœur, me disait justement l'autre jour… » Mon grand-père parlait de moi à tout le monde, comme si j'avais été une vedette. Mes parents aussi trouvaient que j'étais devenu quelqu'un. Dans ses discussions avec mes frères et sœurs, mon père aimait dire à propos de rien : « On va demander à Thomas ce qu'il en pense. Il doit savoir la réponse, lui, il est avocat… » J'avoue que toutes ces marques de considération m'embellissaient intérieurement. Après tout, je m'étais rendu plus loin qu'où je devais aller, on ne pouvait pas m'enlever ça.

Cela dit, je savais exactement ce que je valais. Je ne me voyais nullement procureur de la Couronne pourchassant les grands criminels, juge éminent ou professeur de droit. Encore moins un grand plaideur attaché à quelque bureau prestigieux, cité dans les journaux et envié par ses pairs. Non, je me voyais simplement ouvrant mon petit bureau à Vanier ou à Orléans — ce que j'ai fini par faire, d'ailleurs —, m'occupant de ma petite affaire, conseillant mes clients et les défendant à l'occasion devant le tribunal. Je me retirerais au bout d'une trentaine d'années pour faire autre chose, prospère et de bonne humeur comme à mon premier jour de pratique. Je passerais tous mes étés à mon camp et j'irais en Floride l'hiver. Je n'en demandais pas plus à la vie.

Je n'ai jamais oublié d'où j'étais. Un petit gars qui avait grandi dans la Côte-de-Sable à l'époque où c'était un quartier d'immigrants et de familles nombreuses canadiennes-françaises. Mon père avait un poste de direction au Parlement, mais c'était un ouvrier dans l'âme qui adorait initier ses enfants au maniement des outils, les filles comme les gars. Mon grand-père maternel avait été électricien toute sa vie, et il m'aurait pris comme apprenti dans son entreprise n'importe quand si j'avais voulu. J'étais bon avec mes mains ; même mes sœurs et mes frères vous le diront. Personne d'ailleurs chez nous n'est main malade, tout le monde sait tout faire. Changer l'huile ou les pneus d'un char, poser une lampe au plafond, réparer un robinet qui fuit, coller de la moquette ou de la tapisserie, monter un meuble, on peut nous demander n'importe quoi. Accorder un piano, non, mais déménager un piano sans une égratignure sur les murs, oui. Dans la cuisine, les gars sont un peu moins forts que les filles, mais même là, on se tire tous pas mal d'affaire. En fait, pour être franc, j'aurais voulu être médecin. Pour combiner l'instruction avec le travail manuel. (Et me faire appeler « docteur » et faire beaucoup d'argent aussi, je l'avoue…) Mais mes notes en sciences n'étaient pas assez bonnes. C'est comme ça que je me suis rabattu sur le droit. D'ailleurs, on était au moins la moitié de la classe à la Faculté de droit qui étions des médecins manqués. Avocat, c'était une profession considérée aussi ; et payante. C'était mieux qu'être fonctionnaire ou enseignant, en tout cas, qu'on se disait entre nous, les avocats de deuxième choix.

Et puis, je pense que tous mes camarades et moi avions la même idée : faire plaisir à nos parents. Impressionner également nos amis, nos blondes. Je me rappelle la fois que j'ai dit à mon père : « Papa, je pense que je vais faire un avocat. » Il a répondu : « C'est correct, ça, avocat. Ce serait mieux être médecin, mais tes grands-parents aimeraient ça. Moi aussi. » Ma blonde de l'époque, qui est devenue ma femme plus tard, était fière de moi, elle aussi. Je ne pense pas qu'elle m'aurait marié si je n'avais pas été avocat, mais je ne lui en ai jamais voulu pour ça. C'était moi qui jouais la comédie, pas elle. Et moi non plus, je ne l'aurais pas mariée si elle n'avait pas été la fille d'un homme que mes grands-parents admiraient.

Mais je n'ai pas aimé faire mon droit, c'est assez évident. Sans doute parce que je ne me sentais pas toujours à la hauteur, mais surtout parce que j'étais fait pour autre chose. Toute ma vie, j'ai envié les gens de métier que je croisais : avec leurs gros coffres à outils, leurs ceintures chargées de bébelles qui leur baissaient les culottes, leurs camions pleins de patentes à gosses. Au bureau, il n'y avait rien que j'aimais plus qu'entendre une secrétaire ou un collègue se plaindre que tel ou tel machin ne fonctionnait pas. Je leur disais : « Je vais aller chercher mes outils, pis ça sera pas long que ça va marcher, vous allez voir ça. » Et là je réparais le climatiseur, la photocopieuse, une fenêtre ou une porte qui fermait mal. J'étais heureux comme un pape quand on me regardait travailler. Je me disais dans ces moments-là : « C'est beau, travailler de ses mains. Après tout, on vient tous de là. Il n'y a pas de honte à swigner un marteau. C'est plus le fun en tout cas que de plaider des divorces et de dresser des contrats. » Être avocat, cependant, ça faisait plus plaisir aux autres, et maintenant que j'y pense, j'ai passé ma vie à faire plaisir aux autres. Aujourd'hui, je me fais plaisir à moi tout seul, et mes antécédents ouvriers m'ont permis de trouver un nouveau gagne-pain davantage en rapport avec mes vraies capacités. Je suis plus heureux aussi. Plus que je l'ai jamais été dans ma vie. Je ne possède plus que moi, ce qui fait que je suis sans doute l'homme le plus libre sur terre.

Avant que j'oublie, je précise que je suis encore avocat. Membre du barreau aussi. Je paie mes cotisations fidèlement chaque année, parfaitement, monsieur! Mais je n'ai plus de bureau, et je n'exerce qu'à l'occasion. Surtout pour dépanner des gens, ou juste pour faire enrager les profiteurs du système. Faire le bien, quoi, et si l'occasion se présente, faire chier les écœurants. (Il y en a encore sur terre. C'est une bonne chose, d'ailleurs, autrement il n'y aurait pas de plaisir à rechercher la justice en ce bas monde.)

Par exemple, l'an dernier, j'ai représenté un locataire de mon immeuble qui avait un différend avec le propriétaire. Ce n'est pas un mauvais gars, le propriétaire, mais des fois, il ambitionne. Le locataire en question était un vieux monsieur, et il avait peur d'être mis à la porte. Le genre de bonhomme qui n'a rien fait de mal de sa vie et qui a peur de son ombre. Il est venu me jaser ça un soir, et j'ai promis de l'aider. Il était tellement niaiseux qu'il en faisait pitié.

Je l'ai accompagné à la Régie des loyers, et j'ai plaidé sa petite affaire. Rien de très compliqué. Il a eu gain de cause. Depuis ce temps-là, le propriétaire me regarde comme si j'étais le diable en personne, mais ça ne me dérange pas. Pour les autres locataires, je suis devenu une sorte de bon Dieu, leur protecteur.

Je me dérange seulement si la cause m'intéresse. C'est plaisant. Je prends une journée de congé de la quincaillerie, j'enfile un des beaux habits qui me restent du temps de ma splendeur, cravate et chaussures assorties, et je pars pour la cour avec mon porte-documents. Sauf que j'y vais en autobus parce que je n'ai plus de permis ni d'auto. Des fois, je revois à la cour des gens que je connais. Ça aussi, c'est agréable. L'autre jour, j'ai eu une longue conversation avec un camarade de la faculté qui a été nommé juge l'an dernier. J'avais l'impression d'être jeune de nouveau. Nous avons discuté de jurisprudence, comme du temps de nos études, quand nous avions tous de l'ambition. Personne à la quincaillerie ne sait que je suis avocat. Ça vaut mieux comme ça. Le gérant et mes collègues ne me posent pas de questions, et ça m'arrange. Un jour, j'ai entendu un ancien ami à moi souffler à un collègue : « Votre ami là-bas, Rocky, vous savez qu'il est avocat, hein ? Il m'a déjà défendu dans un procès... » L'autre ne l'a pas cru. Je n'en étais pas fâché.

Dernièrement, j'ai eu sur les bras une affaire qui m'a bien fait rire. Une voisine dans l'immeuble d'en face avait été accusée de vol à l'étalage. Pas de quoi se faire pendre, mais la demoiselle avait déjà un casier judiciaire long comme le bras, et elle craignait que le juge ne la mette en dedans pour quelque temps. Elle était bien embêtée. Quelqu'un de mon immeuble me l'a envoyée. « Il paraît que vous êtes bon, qu'elle m'a dit, et que vous chargez pas cher. » Évidemment, je n'ai pas cru un instant le « bon » et je n'ai retenu que le « pas cher ».

Une belle femme. Danseuse dans une boîte à fesses de Gatineau et qui a fait tout le circuit du strip-tease au Canada. Elle m'a promis de me payer comme il faut si je la sortais de là. « Rassurez-vous, mademoiselle, mes services sont gratuits. Je vais vous aider parce que vous m'avez l'air sympathique. » Je ne suis pas sûr qu'elle ait compris le « sympathique », mais ça ne fait rien.

J'ignore aussi si elle était coupable : ce qui est sûr, c'est que le pauvre procureur de la Couronne de service ce jour-là était un débutant débordé. Les témoins étaient des employés du grand magasin, dont une dame qui était tellement désagréable que j'ai pris plaisir à la plonger dans des contradictions sans fin. Par contraste, ma cliente s'était maquillée et vêtue avec le talent d'une habituée de la cour et ressemblait à la dignité incarnée. Le policier qui l'avait arrêtée passait son temps à regarder sa montre en mâchant sa gomme, ce qui a agacé manifestement le juge. L'accusation a été rejetée : preuves insuffisantes. Je n'ai pas eu grand mérite, il faut l'avouer, et je n'en étais pas à ma première cause du genre. C'était le style de petit droit que j'ai pratiqué à mes débuts. Rien de trop forçant.

J'ai ramené ma cliente en taxi à son immeuble comme une grande dame. Je l'ai raccompagnée à son appartement et elle m'a invité à entrer prendre un verre. Ce n'était pas de refus. J'avais un peu soif, mais j'étais surtout curieux.

Je la revois assise sur son sofa avec une bouteille de bière dans une main, une cigarette dans l'autre. Le vernis de la cour avait disparu de sa personne. Quand elle s'est mise à se plaindre que l'argent était rare ces temps-ci et que la danse, ça ne payait pas toujours bien, je lui ai dit de ne pas s'en faire. Là-dessus, elle m'a roulé les yeux les plus cochons du monde et a mis la main au premier bouton de sa blouse. « Mais si vous voulez, maître, on peut s'arranger autrement… » J'avais trop envie de rire, il fallait que je m'en aille : j'ai déposé mon

verre de bière sur la table à café et je me suis levé.
«Merci, ça va aller. Je vous l'avais dit : mes services
sont gratuits. Je vous ai défendue parce que vous m'avez
l'air d'une bonne personne. Votre offre est très géné-
reuse, je vous en remercie, mais j'entrerais dans l'illéga-
lité si je l'acceptais. Et puis, pour tout vous dire, j'ai
passé un beau moment avec vous. Je vais y aller maintenant.» Je lui ai serré la main et je suis sorti. Elle m'a
raccompagné, et au moment de refermer la porte
derrière moi, elle a dit d'une voix moite : «Reviens
n'importe quand si t'as envie de te faire payer...» Puis
elle m'a fait un long «Bye-e-e-e» qui voulait tout dire
et même plus.

C'est la dernière fois que je l'ai vue. Elle a déménagé. Son propriétaire se lamente depuis qu'elle lui
devait deux mois de loyer. C'est bien possible. Si elle
payait son propriétaire comme elle se proposait de
payer son avocat, je comprends sa peine.

En tout cas, l'épisode de la danseuse innocentée
par mes soins a fait le plus grand bien à ma légende
dans l'immeuble et dans le reste de la rue. On me salue
bien bas maintenant, façon de parler, évidemment. On
me consulte, on me demande mon avis sur un peu
n'importe quoi, mais je fais vite savoir que je ne cherche
pas de nouveaux clients. La plupart du temps, les propriétaires d'immeubles changent de trottoir quand je
les croise.

Un soir d'été, j'ai entendu de mon balcon une discussion entre mes voisins du dessous. Un couple de
vieux fatigants qui adorent lancer des rumeurs et se

mêler des histoires des autres. J'ignore au juste à quel propos ils se disputaient, mais tout à coup, elle lui a dit : « Tu penses que je suis niaiseuse pis que je connais rien, hein ? O.K. ! On va aller voir l'avocat en haut, lui il va te le dire que j'ai raison. » Le mari a répondu : « Il est pas plus avocat que mon cul, lui ! Il travaille chez Jolicœur Hardware. Je l'ai vu ! Si y était avocat, chrisse, il passerait pas ses journées à vendre des sièges de toilettes, des marteaux pis des pots de peinture ! » La bonne femme s'est fâchée noir : « Il est avocat pareil ! Je le sais, bon ! Il paraît qu'y travaille chez Jolicœur Hardware parce qu'y a fait une dépression, pis y fait ça pour se reposer, O.K. ? Pis quand il a le temps, il remet son habit d'avocat pis il aide les pauvres qui ont de la misère avec la police ! Comme Zorro ! Veux-tu, on va aller y demander, toé pis moé, voir si c'est vrai ? » Court silence. Le bonhomme avait l'air moins sûr de son affaire tout d'un coup. Il a mis fin à la discussion en grommelant : « Avocat, pas avocat, qu'y mange de la marde, pis toé aussi ! » La dame avait l'air contente.

Voilà le monde où je vis maintenant. Mettons que je ne m'ennuie pas.

Mon nouveau métier de quincaillier m'a obligé à renouer avec ma vie de jeunesse.

Tout a commencé quand je me suis lancé dans la rénovation domiciliaire, mais sans le faire exprès. Mon collègue Gerry, qui s'occupe de la mise sur rayons avec moi, qui n'est pas un mauvais gars mais qui est achalant par bouts, m'a lâché un jour : « Hé, Rocky. T'es-t'un gars instruit, toé. Parles-tu le polonais?» «Non, que je lui ai dit sans lever la tête, mais je parle rabot, vilebrequin et scie.» Il a insisté : «C'est parce qu'y a un couple à caisse, pis on comprend pas ce qu'y disent, ni en anglais ni en français, ça fait que, si tu t'occupais d'eux autres, tsé?...» Je suis allé voir : une madame et un monsieur, très bien habillés, très corrects, qui parlaient bien français tous les deux, tellement bien que Gerry ne comprenait rien.

On a discuté un bon moment, tous les trois. Ils venaient d'acheter une maison et faisaient des travaux. J'ai vite vu qu'ils n'y connaissaient rien. De fil en aiguille, comme ça, ils ont fini par me demander si ça me dérangerait d'aller faire un tour chez eux pour que je comprenne exactement ce qu'ils voulaient faire. Quand ils ont mentionné l'adresse, j'ai dit oui tout de suite. Nous avons pris rendez-vous et nous nous sommes serré la main, avec les deux qui m'appelaient «Monsieur Rocky» comme si j'avais été quelqu'un.

Après que je les ai eu raccompagnés à la sortie, Gerry m'a lâché encore : «Tu comprenais ce qu'ils disaient, toé? Moé, leur accent, tsé veux dire...» «Fais-toi-z'en pas, que je lui ai répondu, eux autres non plus, y te comprenaient pas.»

J'avais tellement hâte de revoir la maison où ils habitent que j'y suis allé tout de suite après l'ouvrage. Lui, il est ambassadeur de la Lituanie à Ottawa; elle, elle est professeur de littérature comparée à l'université de Vilnius, en congé sabbatique pour un an. Des gens de grande famille, très scolarisés. À eux deux, je pense qu'ils ont quatorze diplômes et parlent au moins onze langues. Il vient d'entrer en poste, et elle profite de son congé pour écrire un livre.

Ici habitaient les Maranda, autrefois. C'est dans la Côte-de-Sable, rue Stewart. Une famille de huit enfants, et tous étaient populaires dans la paroisse, mais chacun à sa manière. Le père était assureur et marguillier : un homme jovial, très bon, qui aimait raconter des farces et chanter des chansons à répondre. La mère était très aimable, gaie, accueillante. Quand on frappait chez eux, on ne dérangeait jamais. On ouvrait grande la porte et on nous faisait asseoir au salon. Il y avait toujours du thé qui réchauffait sur le poêle, du café plein la cafetière, et on nous offrait des biscuits. Du bon monde comme on n'en fait plus.

J'allais à l'école avec deux des frères, Albert et Patrick, qui étaient très aimés dans le quartier. Albert parce qu'il était drôle, Patrick parce qu'il était blond et beau. Les deux étaient partout dans la paroisse : les enfants de chœur, les scouts, la guignolée, toutes ces affaires-là. Toutes les filles étaient gommées après les deux frères, et eux, ils ne s'en plaignaient pas trop, je pense. Les sœurs Maranda n'étaient pas en reste : jeannettes, guides, et tout le bataclan. L'aînée de la famille, Simone, une jeune femme qui portait bien son embonpoint et dont le visage avait la beauté avenante de la mère, étudiait la psychologie à l'université, et ma foi du bon Dieu, tous les gars du monde voulaient sortir avec elle. La maison était tout le temps pleine de jeunes hommes aux grandes espérances venus la courtiser en pure perte. (Car Simone avait un chum qui étudiait à Toronto mais dont elle parlait peu.)

Il y avait aussi Pauline, Suzanne, Lucie. Je préférais Suzanne, et je suis resté longtemps l'ami de Patrick et d'Albert rien que pour la voir, elle. Suzanne était un peu plus jeune que moi, mais elle me dépassait d'une tête en maturité. Donc, pendant longtemps, je me suis contenté de la regarder, de l'écouter, et je trouvais spirituelles et intelligentes toutes les paroles qui sortaient de sa bouche, et une fois que j'avais quitté la maison, je me répétais tous ses bons mots (qui n'étaient pas si bons que ça, je précise, mais je ne connaissais que ceux-là). Albert et Patrick, ainsi que les parents, voyaient bien que je fondais devant elle, mais ils ne me taquinaient jamais. Ils n'avaient pas non plus l'indélicatesse de me demander ce que je trouvais à leur sœur.

Un jour, vers la fin de mon secondaire, j'ai pris mon courage à deux mains et je l'ai invitée à aller voir un film. Elle a accepté! J'ai essayé de l'impressionner en l'emmenant après le film au Del Rio, le restaurant des jeunes de la Côte-de-Sable rue Rideau, mais j'ai vite vu que je ne l'intéressais pas plus que ça. Quand j'ai mentionné avec nonchalance que j'irais bientôt au récital de Félix Leclerc à Hull et que si ça lui tentait…, elle a tout de suite dit « non merci » avec le plus beau sourire du monde. Je me le suis tenu pour dit et je n'ai plus jamais reparlé de sorties avec elle. Je m'étais essayé, j'avais manqué mon coup, elle voulait seulement qu'on soit des amis (idée qui m'écœurait royalement parce que j'éprouvais pour elle un désir que j'étais condamné à taire), alors j'ai fait un homme de moi et je me suis effacé pour de bon. Presque.

Voilà pourquoi j'adore aller donner un coup de main à l'ambassadeur et à madame. Ils ne se doutent de rien, mais quand on parle de boiseries, de carreaux de céramique pour les planchers, de plafonniers et tout ça, moi, ce que je vois, c'est M. Maranda assis dans son fauteuil au salon, demandant à Pauline de nous jouer quelque chose au piano. Dans ma tête, la maison grouille de soupirants et de filles à marier, tout le monde fait des farces quand ça ne discute pas sérieusement de la séparation du Québec. Ça sent bon le rôti de porc à l'ail et aux patates brunes ou la sauce à spaghetti de Mme Maranda, *La Soirée du hockey* joue à la télévision, les plus petits de la famille courent en pyjama et le chat dort d'un œil à côté du foyer. Ça fait du bien de se souvenir, des fois.

L'ambassadeur et madame ont acheté la maison. C'est un placement qu'ils ont fait, en prévision de leurs vieux jours. Je leur fais faire des économies tout en les aidant à rendre ça beau autour d'eux, et j'y mets toute mon ardeur parce que j'ai été heureux ici, dans cette maison, même si Suzanne n'a jamais voulu de moi. Un jour, elle a rencontré un Français, qui l'a épousée et qui l'a emmenée dans son pays. Je sais qu'elle a eu trois enfants, qui doivent être grands maintenant.

L'ambassadeur et madame ne m'ont pas adopté, mais pas loin. Dès nos premières fréquentations, j'ai eu à démêler un problème avec le cadastre qui embêtait sérieusement l'ambassadeur. Contrairement à ce à quoi je m'attendais, il n'a pas été surpris de me savoir juriste. Il m'a expliqué que, dans son pays et ailleurs en Europe orientale, les bouleversements politiques des dernières années ont mis des tas de gens dans des situations comme la mienne. Des gens qui étaient puissants autrefois se sont retrouvés sur la paille, forcés d'apprendre un métier ou de se contenter de peu. C'est pourquoi il ne me juge pas, d'autant que ma descension sociale n'a rien à voir avec la politique et tient même un peu du naufragé volontaire. (L'expression *naufragé volontaire* est de lui : elle m'a plu et je l'ai notée. Je la sors chaque fois que je le peux.)

Comme je suis souvent là, nous parlons beaucoup, tous les trois. Madame est la fille d'un musicologue réputé ; son grand-père, du temps où il vivait à Vienne, était un critique musical influent, et il a connu Freud et plein d'autres grosses poches de cette époque-là dont les noms allemands sont difficiles à retenir. Presque tous les membres de sa famille ont eu à souffrir du nazisme ou du communisme. Un de ses oncles est mort dans un goulag ; un autre a été fusillé par les Allemands. Je sais tout cela de l'ambassadeur, qui adore et admire sa femme.

L'ambassadeur est lui aussi d'une famille de héros qui a toujours combattu pour l'indépendance de la Lituanie. Son père est mort en prison, son grand-père aussi. Sa famille a été dépouillée de tout au moins trois fois. Son nom veut dire quelque chose, là-bas. C'est madame qui me raconte tout ça quand il n'est pas là.

Quand leur fille est venue passer Noël, ils ont organisé une petite fête pour elle. Ils ont tenu à m'inviter. Je ne voulais pas y aller, mais ils ont insisté. Ils avaient convié tout plein de membres du corps diplomatique.

Il y avait là l'attaché culturel de l'ambassade de Serbie, le conseiller commercial de Roumanie, un prince serbe, une cantatrice autrichienne qui sort avec le premier secrétaire de je ne sais plus quelle ambassade de l'ancien bloc soviétique, et un Français qu'ils appelaient tous « Monsieur le Comte », et qui en est un vrai, mais en chic type qu'il est, il préfère qu'on l'appelle Jean-Charles. Et parmi tous ces gens bien et titrés, il y avait Rocky, avocat déchu et commis à la quincaillerie Jolicœur Hardware de la rue Beechwood, pour vous servir, madame, monsieur.

À un moment donné, assis sur le rebord de la fenêtre qui était autrefois la place préférée de Mme Maranda, où elle reprisait des chemises et faisait des bas de pantalons pour ses garçons, moi, une flûte de champagne à la main, j'ai été comme pris de vertige. J'ai la mémoire qui divague, que je me suis dit. Je revoyais les yeux rieurs de Lucie, j'entendais les farces cochonnes d'Albert, j'admirais la belle poitrine de Simone, pendant qu'autour de moi le petit corps diplomatique vibrait de récits de patriotes massacrés, internés, spoliés. J'ai eu une pensée coupable tout à coup : l'espace d'un moment, je me suis dit que les souvenirs de ces gens-là étaient plus beaux, plus nobles, plus tragiques que les miens. Leurs souvenirs valent la peine d'être racontés, pas les miens. Ce qui m'a fait penser à la question que m'avait posée le psychiatre que j'ai consulté quand ma femme et moi nous sommes quittés : « Toute votre vie, vous vous êtes efforcé de passer inaperçu. Comme si vous vouliez disparaître. N'être personne. Pourquoi ? » L'ambassadeur m'a arraché à ma torpeur mémorielle : « Mon ami Rocky, vous ne buvez pas, vous ne mangez pas, vous ne parlez pas ! Vous êtes ici pour vous amuser. L'avez-vous oublié ? » Et là, moi, l'historien de rien, j'ai eu honte de mes faux complexes, et j'ai pris congé de la famille Maranda pour faire la fête avec ces gens qui m'entouraient. J'ai eu bien du plaisir. Entre autres avec la cantatrice autrichienne, femme très jolie, pour qui j'ai sorti les deux phrases d'allemand dont je croyais me souvenir et qui, en m'entendant, a manqué mourir de rire sur le sofa. Comme quoi je n'ai pas fait beaucoup de progrès en allemand depuis l'université. Mais ça ne fait rien, ils ont tous trouvé ça très sympathique. (Moi moins, mais ce n'est pas grave.)

Tout ça reste mêlant pareil. L'ancien et le nouveau se mélangent constamment dans ma tête. L'ambassadeur et madame occupent la chambre où les Maranda ont fait leurs huit enfants. Leur fille dort dans la chambre où Albert Maranda s'est mis tout nu avec sa première blonde (Nicole, qui est devenue sa femme plus tard), le samedi soir où ses parents étaient allés entendre Nana Mouskouri au Centre national des arts. Et c'est la même chose pour leurs amis diplomates. L'attaché culturel serbe vit dans la maison rénovée où vivait dans mon temps la famille Marinier, dont la moitié des gars se sont fait arrêter par la police et dont les filles couchaient toutes à douze ans. Le comte Jean-Charles de l'ambassade de France loue une maison de la rue Daly, très luxueuse maintenant, qui était autrefois le refuge des filles-mères de la Côte-de-Sable. Le conseiller commercial de Roumanie possède la demeure des Villeneuve, des bums et des voleurs qui n'allaient jamais à la messe, qui étaient sur le bien-être et qui s'en vantaient.

Je suis le dernier rescapé d'un monde mort, mais ça ne m'attriste pas du tout. Je pense aussi que nous sommes tous plus ou moins dans le même cas, et personne n'en meurt. C'est juste comme ça.

Ce monde a commencé à disparaître justement à l'époque où j'étais heureux de me tenir chez les Maranda. Un beau jour — je m'en souviens parce que j'étais là —, Albert est entré dans la maison et a annoncé qu'il avait lâché les scouts. L'aumônier de la troupe, le père Robitaille, l'avait surpris en train de fumer, et il lui avait dit : « Si t'arrêtes pas tout de suite, t'as plus d'affaire chez les scouts. » Albert lui avait répondu : « O.K. Je m'en vas. Salut ! » Ça n'avait pas l'air de le déranger plus que ça. Sa mère n'avait rien dit, mais le père ne paraissait pas content. Quelques semaines après, on a appris que les autres Maranda avaient tous lâché eux aussi les petites jobs qu'ils avaient dans la paroisse : Simone, l'aînée, n'animait plus le Cercle des jeunes chrétiennes pour la paix dans le monde, Pauline avait quitté les guides, Lucie, les jeannettes. Patrick n'était plus scout comme Albert, ni même enfant de chœur. Tout le monde dans la paroisse appelait à la maison : les maîtresses d'école, les parents d'élèves professionnels, les mères de louveteaux et de croisés, tout le monde voulait savoir ce qui se passait. Mme Maranda a laissé passer l'orage, et elle a répondu à tout un chacun que c'étaient les affaires des enfants et qu'elle n'avait pas un mot à dire. Au mois de septembre, même M. Maranda a démissionné de son poste de marguillier : il s'était chicané avec le curé. C'était comme la fin du monde. Du nôtre, en tout cas.

Pendant toutes ces années, qui correspondaient à la fin de mon adolescence, j'ai eu l'impression de vivre dans une ville assiégée au milieu d'un monde en guerre. Il ne se passait pas un jour sans que l'on n'apprenne quelque histoire confirmant la fin imminente d'une vie qui avait perdu son sens originel. L'Église perdait ses fidèles, le quartier perdait du monde, la communauté francophone déménageait au Québec ou en banlieue, même les personnes changeaient de visage avec l'habillement jeune, les coiffures, les lunettes. Tout changeait ! La musique, les magasins, les restaurants, même certains noms de rues. Des édifices entiers qui étaient pour nous des repères depuis toujours étaient démolis, des rues étaient effacées de la carte, surtout dans la basse-ville, et de nouvelles artères apparaissaient là où il n'y avait eu que des champs ou des usines vétustes du temps de la guerre, la vraie.

J'avoue que j'aimais bien tout ce mouvement de métamorphose. Il ne me causait aucune angoisse, alors qu'au contraire mes parents et grands-parents avaient mal à leur petit monde. Quand l'un de nous arrivait à la maison et annonçait quelque drame, ma grand-mère faisait des réflexions qui me paraissaient résumer l'opinion publique.

« Le père Robitaille a mis Gustave Guibord dehors des scouts, pis Guibord lui a dit *"Fuck off!"* en partant. — C'est-ti épouvantable ! »

« Louise Champagne, la fille du comptable du diocèse, est tombée enceinte de son chum, Vic Saikaley. Ça fait que son père l'a jetée dehors. — Mon Dieu, tu parles d'une épreuve pour du bon monde de même ! »

« Lise Labelle dit qu'elle prend la pilule maintenant, mais que sa mère le sait pas. — Mais pourquoi qu'elle a besoin de prendre la pilule ?! »

« Le père Baulé est sorti de chez les oblats. — On aurait pas pensé ça de lui, hein… »

« Roger Dupuis s'est fait arrêter par la police avec du hasch dans ses poches. — Sa mère doit tellement pleurer, la pauvre femme… »

« Yves Cyr s'est fait jeter dehors par son père, ça fait qu'il est parti vivre en appartement avec sa blonde, Josée Bédard. — Petits enfants, petites peines. Grands enfants, grandes peines. »

« Sœur Alice est sortie de chez les sœurs, pis elle se marie samedi prochain avec l'ancien frère Maurice. — Qu'est-ce que le bon Dieu doit penser de ça, hein ? »

Tous ces petits scandales, qui m'ont l'air aujourd'hui bien anodins, venaient alourdir les grandes mutations que nous annonçait la télévision. Les assassinats politiques, les invasions, l'Expo, l'élection de Pierre Elliott Trudeau. Le monde ne tenait plus en place. C'était rendu que ma mère ne regardait plus la télévision. Quand un de nos chanteurs favoris passait, elle soupirait : « Un autre pouilleux qui chante mal... Change donc de poste ! » Ma grand-mère renchérissait : « Il a pas l'air d'un garçon qui fait une bonne vie... On espère que le bon Dieu va lui pardonner. »

Moi, j'étais content. Comme tous les jeunes de mon âge, je pensais que les servitudes d'autrefois avaient fait leur temps et que la liberté venait d'arriver en ville. L'école Garneau, où j'ai fait mon primaire, a été achetée par l'Université d'Ottawa et rasée : une résidence étudiante occupe les lieux maintenant. Ça ne m'a pas arraché une larme. Par contre, j'ai eu le cœur serré quand l'église Sacré-Cœur a été anéantie par un incendie. Je reconnais encore ma Côte-de-Sable natale, mais je n'aurais pas les moyens d'y habiter.

Le pire, pour moi, ça a été quand les Maranda ont déménagé. L'avenir de l'immobilier était en banlieue, du côté d'Orléans, et M. Maranda avait acheté une maison dans Beacon Hill. Je l'avoue, ça m'a fait un coup. Pour aller chez eux, il n'y avait même pas d'autobus. Il fallait un char pour se rendre là. Donc, on n'y allait plus aussi souvent qu'avant. Mais ce n'était plus pareil de toute façon : la moitié des enfants étaient partis. J'y allais quand même de temps en temps, mais je ne restais pas longtemps.

Un soir, la famille Maranda a organisé un party comme elle en faisait autrefois dans le temps de Noël. C'était pour fêter les fiançailles de la plus vieille, Simone (elle avait cassé avec son gars de Toronto et était tombée amoureuse d'un gars de Montréal). Tout le monde était invité, la maison serait pleine, comme avant. J'y suis allé, comme de raison. Je n'aurais pas dû : c'est ce soir-là que j'ai rencontré la fille qui est devenue ma femme. J'étais dans ma dernière année de biologie, et j'avais perdu le feu sacré. Je travaillais à temps partiel pour mon grand-père, dans son entreprise de travaux en électricité. Bref, je ne faisais rien de spécial, et j'étais toujours aussi invisible aux yeux de mes contemporains, et surtout des filles. J'en étais donc resté aux sœurs Maranda. Comme on dit, je n'étais pas trop déniaisé. Un soir, avec des amis, j'avais bu six bières de suite et j'avais été malade : c'était le seul mauvais coup que j'avais fait de ma vie adulte. Ah oui, et j'étais allé voir des films cochons à Hull une couple de fois avec un chum qui parlait tout le temps de cul mais qui n'avait pas plus de blonde que moi. Je ne blâmais pas les filles de ne pas s'intéresser à moi : je n'étais pas intéressant, point à la ligne.

Mais ce soir-là, j'étais intéressé. Dans la cave finie de la maison des Maranda, on faisait jouer de la musique à la mode, il y avait des couples qui dansaient, on buvait de la bière, il y avait de l'ambiance. Mais il y avait surtout des belles filles, dont un pétard à faire bander toute l'armée canadienne d'un coup : Sylvie Meunier. Une blonde qui portait un chandail blanc et un pantalon dont les bretelles épousaient les contours de ses beaux seins encore neufs. Une beauté rare à vous garrocher par terre. Son visage était tellement fin qu'on oubliait qu'elle portait des lunettes ; de belles dents blanches, un nez un peu fort, mais on s'en foutait. Elle était tellement quioute que les autres filles se serraient autour d'elle pour se faire remarquer des gars. Comme si elles avaient espéré que les regards qui caressaient Sylvie glisseraient sur elles sans trop perdre de leur convoitise. Ladite Sylvie ne disait rien d'intéressant, mais on la trouvait intéressante pareil, et à défaut de pouvoir lui parler, on était prêts à l'entendre dire n'importe quoi. Elle aurait récité le livre de téléphone qu'on l'aurait écoutée quand même.

La beauté féminine venait de m'être révélée. Mais je n'ai fait que regarder, et discrètement avec ça. Je savais bien qu'elle était trop belle pour moi, et que si je l'invitais pour un slow, elle me rirait dans la face. J'étais là depuis une bonne heure, je devais avoir fumé la moitié d'un paquet de cigarettes pour me donner une contenance quand, tout à coup, Suzanne Maranda est venue s'asseoir à côté de moi. Un grand honneur pour moi normalement, mais qui désormais m'indifférait. Elle a été très gentille cependant, et mine de rien, elle m'a demandé si je sortais avec quelqu'un. « Non, pas de ce temps-ci… », que j'ai répondu avec une nonchalance feinte dont j'ai été pas mal fier sur le coup. (Je n'étais jamais sorti avec une fille, sauf à mon bal des finissants de treizième année, et encore, c'était la fille qui m'avait invité, Louise Hahn, que je ne trouvais pas belle et qui ne me trouvait pas beau, mais nous étions tout ce qui restait.)

Suzanne m'a demandé si elle pouvait me présenter quelqu'un. Comme de raison, je ne pouvais rien lui refuser, mais avant même que j'aie répondu, elle a fait un signe vers un groupe de filles, et l'une d'elles s'est approchée de nous. « Je te présente Aline de Bellefeuille… Tom Francœur…» La minute d'après, la Suzanne avait disparu et je causais avec Aline. On a discuté de politique, je me rappelle. Tout le temps que j'ai parlé avec elle, je reluquais Sylvie Meunier. Elle occupait toutes mes pensées. Mais elle était gentille, Aline. On a dansé ensemble quelques fois. C'était correct. À la fin de la soirée, après la pizza de minuit et les petits sandwichs sans croûtes de Mme Maranda qui étaient toujours aussi bons, j'ai eu le cœur brisé en voyant Sylvie Meunier partir avec Luc Bédard, qui était plus vieux que nous autres, un gars en médecine qui avait un petit char sport. Le bonheur était fait pour les autres. Mais j'ai dit oui tout de suite quand Aline m'a offert de me raccompagner. Elle avait la voiture de son père, un gros Lincoln noir avec des sièges tout en cuir qui avait l'air d'un corbillard. On était au moins six dans la voiture. J'ai débarqué le premier. « Bonsoir Aline, bonsoir tout le monde, joyeux Noël. » Maintenant que j'y pense, la première fois que j'ai rencontré Aline, c'est la dernière fois que j'ai vu Suzanne Maranda. Elle est partie pour Vancouver cet été-là, et elle a rencontré là-bas le pharmacien français qu'elle a épousé. J'ai reçu une lettre d'elle, un jour, où elle me disait combien elle était contente de savoir que je sortais avec son amie de couvent Aline de Bellefeuille.

C'est bien d'ailleurs la seule raison pour laquelle j'ai demandé à Aline de sortir : pour faire plaisir à Suzanne, pour qu'elle soit contente de moi. Et elle,

Aline? Pourquoi moi, le gars ordinaire? Ben, pour faire plaisir à Suzanne. Aline et moi nous sommes raconté mille fois notre rencontre. Elle était sortie steady avec un gars un peu plus vieux qu'elle pendant deux ans. Rien de sérieux, pas de coucherie, rien. Puis elle s'était tannée, et elle l'avait sacré là sans même le lui dire. Lui, il n'avait rien remarqué, il paraît. Un jour, il lui avait téléphoné à la maison pour l'inviter quelque part, et elle lui avait dit : « Ben non, je t'ai dit que je voulais casser avec toi. » L'autre : « Ah bon, excuse-moi, j'avais oublié. C'est quand que tu m'as dit ça? En tout cas, excuse-moi encore, pis laisse faire. Moi non plus, je t'aimais pas, de toute façon… » Bref, ça n'avait pas été trop tragique et ça n'avait pas laissé de marques. Mais là, elle voulait quelqu'un de sérieux, et Suzanne Maranda lui avait dit : « Je pense que je connais quelqu'un. On fait un party pour ma sœur Simone. Pas besoin de l'inviter, je suis sûre qu'il va venir de toute façon. Il aime notre famille. » Suzanne a fait les présentations, et le tour était joué.

Je voulais aussi faire plaisir à ma famille. Quelques jours après le party des Maranda, un de mes frères au souper m'a dit : « Paraît que t'es sorti avec Aline de Bellefeuille? » Moi, tout surpris d'apprendre ça, j'ai fait semblant que c'était vrai, et sur un ton faussement indigné, je lui ai demandé : « Mais comment tu sais ça, toi? » Il m'a répondu, tout fier, qu'on nous avait vus partir ensemble de chez les Maranda. J'ai baissé la tête et je n'ai rien dit, en homme qui a un secret à garder : j'ai bien fait attention à ne pas lui dire qu'on était six dans le char, dont trois autres gars. Mes grands-parents étaient au souper, et le grand-père a dit quelque chose qui m'est resté en mémoire longtemps, trop longtemps : « De Bellefeuille ? La fille de Rosaire ? Bon choix. C'est de l'argent, les De Bellefeuille ! Dépêche-toi de marier ça, mon gars ! » Mes parents avaient souri de contentement. Il y avait de quoi : enfin, leur fils se déniaisait ; enfin, on était sûrs qu'il n'était pas tapette ; enfin, il sortait avec quelqu'un ; enfin, il était comme tout le monde ! Enfin...

Après cet épisode-là, pendant des années, mon grand-père, chaque fois qu'il me voyait, me demandait : « Pis ? Comment va la petite De Bellefeuille ? » Je n'ai pas été long à comprendre pourquoi. Rosaire de Bellefeuille possédait trois salons funéraires, qu'il avait hérités de son père et qu'il gérait très bien. C'était un bon homme d'affaires, son entreprise rapportait bien, et il avait fait des placements rentables toute sa vie. Il avait toujours eu tout ce qu'il voulait : la grosse maison, le char neuf de l'année à la porte, un chalet, un condo en Floride, une femme fine, de bons enfants, tout. Il avait été conseiller municipal à Vanier, et il était membre de tous les clubs imaginables, des Chevaliers de Colomb au Club Optimiste en passant par le Club Richelieu, et partout où il allait, il finissait toujours président ou parmi les grosses poches. Son curé l'aimait, et en plus, les écoles où allaient ses enfants avaient toujours droit aux fleurs mortuaires encore fraîches qui avaient déjà servi, livrées en limousine, s'il vous plaît. Ce qui valait à ses enfants une certaine considération de la part de la direction. Et là, depuis quelques années, Rosaire s'était retiré, et c'était ça qui impressionnait tant mon grand-père. Dans son esprit, un homme selon son cœur était celui dont on disait : « Il s'est retiré à quarante ans. Il a plus jamais retravaillé. Il fait plus rien maintenant. » Ça voulait dire que le monsieur avait réussi et qu'il en avait assez de collé pour rester chez lui assis sur son cul à regarder le temps passer. Un monsieur qui ne faisait plus rien, c'était quelqu'un. Je ne suis pas sociologue, mais ce goût lui avait peut-être été légué par nos ancêtres qui avaient admiré les seigneurs fainéants du Canada français d'autrefois. Mon grand-père admirait aussi, évidemment, les retraités de la fonction publique et de l'armée.

Je ne le suivais pas très bien dans son admiration de l'oisiveté rentée ; n'empêche que son avis sur la question a dû m'influencer quelque part. Je n'ai jamais manqué par la suite de lui parler en bien de M. de Belle-feuille, et jamais, jamais, je n'ai fait la moindre plaisanterie sur son métier de croque-mort. Mon grand-père n'aurait pas toléré qu'on médise de l'argent accumulé avec tant d'ardeur et d'habileté.

Je n'ai pas cherché à revoir Aline après la fête des Maranda. On se croisait parfois dans les couloirs de l'université, on se disait bonjour, on se demandait des nouvelles l'un de l'autre, notre contact était chaleureux, mais sans plus. Il faut dire que j'avais le cœur pris ailleurs. Non, pas Sylvie Meunier, une autre.

Elle s'appelait Laura, qui était pour moi, dans le temps, le plus beau nom de la création. Je l'avais entrevue au début de l'année universitaire alors que je traînais avec des amis à la cafétéria du campus. Je l'aurais suivie des yeux jusqu'à la fin des temps. Blonde, les yeux bleus, un corps taillé au couteau, un sourire à changer l'hiver en printemps. En ces jours de rentrée, j'assistais à divers cours dans l'espoir d'en trouver un facile où je pourrais monter mes notes sans trop me forcer. Coup de chance, je suis entré dans un cours d'allemand qui venait de commencer, et elle était là, assise au premier rang. Je suis allé m'asseoir au dernier rang. Le lendemain, je m'inscrivais au cours. Le prof, M. Bausenhart, était gentil, bon pédagogue, et j'avais bien besoin de sa compétence parce que je n'avais jamais appris de langue étrangère — on sait bien que, chez nous, l'anglais ne compte pas parmi les langues étrangères. Et surtout, elle était là.

D'un cours à l'autre, j'ai réussi à me rapprocher de sa place. Je n'ai jamais autant travaillé pendant mon baccalauréat, car je voulais qu'elle me remarque pour mon don des langues. Plein d'étudiants dans le cours, se rendant compte qu'apprendre l'allemand n'était pas de tout repos, se sont mis à lâcher. Moins de concurrence, tant mieux. J'ai fini par l'aborder, me lier avec elle un petit peu. Je la trouvais plus belle tous les jours. J'épiais ses moindres propos, ses moindres mouvements, et j'ai fini par apprendre qu'elle faisait du ski. Je n'en avais jamais fait ; c'était pour moi un sport de jeunes riches sans intérêt ; monter et descendre des côtes, je ne voyais pas le fun là-dedans. Mais là, je me suis intéressé au ski, et je me suis renseigné : où on pouvait en faire, combien coûtait la location de l'équipement, etc. Et un beau jour, j'ai pris mon courage à deux mains, et je lui ai demandé la pente qu'elle préférait dans la région. Vorlage, qu'elle m'a répondu, près de Wakefield. (*Vorlage,* mot allemand qui désigne une position de ski : j'étais donc richement récompensé des peines que je me donnais chez *Herr* Bausenhart !) J'ai donc résolu de l'inviter au ski dès le prochain cours. On avait un examen ce jour-là. J'ai dû me dépêcher pour rendre ma copie quand je l'ai vue qui sortait. Comme je m'apprêtais à lui courir après, je l'ai aperçue dans les bras d'un gars qui, manifestement, l'avait attendue longtemps, longtemps. Ils s'embrassaient en homme et femme déjà amants ou sur le point de le devenir. Et moi, comme un nono, j'ai poursuivi ma course sans même lui dire au revoir. Je suis rentré chez moi à pied sous la pluie neigeuse de mars en braillant comme un petit gars. Quasiment un an d'allemand pour rien. Câlice…

Quelques jours après, je me suis décidé à appeler Aline de Bellefeuille pour lui demander de sortir. Je me disais qu'avec elle, au moins, j'aurais une chance. Elle n'était pas trop belle pour moi, et ça ferait plaisir à ma famille si je sortais avec elle sérieusement, comme on disait. Elle n'a jamais su que le dépit m'avait conduit à elle, et moi je n'ai su que longtemps après qu'elle avait voulu de moi pour une seule raison : elle était sûre que personne d'autre ne voudrait ni d'elle ni de moi. Personne ne lui volerait l'homme de sa vie. Ce qui était bien pensé parce qu'aucune femme n'a essayé, en effet.

J'ai oublié tout l'allemand que j'ai appris, et je n'ai jamais mis les pieds en Allemagne par rancune. J'ai souvent croisé Laura par la suite, sur le campus, mais je faisais semblant de ne pas la reconnaître. J'avais trop honte.

Pour rien au monde je ne ferais le moindre reproche à Aline pour ce qui s'est passé entre nous après. Elle ne m'a jamais rien fait. Elle a simplement joué le jeu, comme moi. Il fallait qu'elle ait quelqu'un, il fallait que j'aie quelqu'une.

Première sortie, premiers mensonges. On était allés voir un film, je l'ai raccompagnée chez elle, et comme il n'était pas tard, elle m'a invité à entrer. J'ai rencontré ses parents, et quand son père m'a demandé ce que je comptais faire dans la vie, j'ai répondu sans hésiter : « Avocat. » Il m'a félicité et souhaité bonne chance. Aline n'avait rien dit, et elle ne me connaissait pas assez pour savoir que jamais de ma vie je n'avais songé à m'inscrire en droit. J'avais simplement dit ça pour faire plaisir au monsieur, lui rendre en quelque sorte l'admiration que lui vouait mon grand-père, et le rassurer sur les fréquentations de sa fille. Aline aussi était contente : elle m'a serré le bras en entendant ma réponse, comme si elle avait dit : « Celui-là, je le garde. »

Ses parents nous ont laissés seuls dans le salon, et nous avons disséqué avec le plus grand sérieux du monde le film que nous venions de voir (que j'avais trouvé plate à mort mais qu'elle avait aimé). J'allais me lever pour partir quand elle m'a dit : « Reste encore un peu, Thomas. Je voulais te dire quelque chose. Je t'ai pas oublié depuis le party chez les Maranda. Ce que j'avais aimé avec toi, c'était que t'étais le seul gars qui déshabillait pas des yeux la Sylvie Meunier. Tu me regardais en me parlant. (Comme quoi je cachais admirablement bien mon jeu.) C'est là que j'ai pensé que toi aussi, tu avais peut-être un petit quelque chose pour moi. Mais je me suis demandé des fois pourquoi tu prenais ton temps pour m'appeler. » J'ai regardé le plancher, puis le plafond, et j'ai dit, sans rire : « Il y avait de la gêne, c'est sûr, une fille correcte comme toi, ça court pas les rues… (Je ne croyais pas si bien dire.) Et puis, tu sais, je suis le genre de gars qui est très pris par ses études… » Là-dessus, je lui ai demandé si je pourrais la revoir. Après les examens d'avril, parce qu'avant… Elle a dit : « Ben certain. J'aimerais ça… » On s'est embrassés sur le perron, dans le noir, en se quittant. Ça y était.

On est sortis souvent ensemble pendant l'été. On se tenait par la main dans la rue, on s'embrassait sans gêne. Ses parents étaient tout heureux, les miens aussi, et mon grand-père ne me parlait que de ma « petite fiancée », la fille à Rosaire qui était retiré et qui ne faisait rien. Aline et moi faisions le bonheur autour de nous, et le nôtre tout de même un peu.

Nous étions ensemble pour les autres, et non l'un pour l'autre, voilà tout. Et nous n'avons rien senti, je le jure. Aucun désagrément, en tout cas. Quand on l'a fait pour la première fois, c'était pour fêter notre première année de sortie et mon entrée en droit. On avait le chalet de ses parents à nous autres, et ça s'est passé correct.

J'ai compris ensuite que sa mère était complice, mais c'était bien quand même. Après ça, on se disait qu'on s'aimait.

Je ne crois pas que j'aurais fini ma première année de droit sans son appui. Elle m'écoutait et m'encourageait à ne pas lâcher. Une fois, dans un moment de désespoir, j'ai poussé la reconnaissance jusqu'à lui dire : « Si je passe, je te marie ! » Elle avait dit : « Ben voyons donc ! » Mais j'étais plus sérieux que je le pensais.

On s'est mariés quand j'ai eu ma licence, et on est allés vivre dans un appartement au-dessus d'un des salons funéraires de son père. Les fleurs qui nous entouraient à l'église avaient servi la veille à célébrer les funérailles d'un grand cardiaque de la paroisse Sacré-Cœur. Il faut voir nos photos de noces : elles valent un million. Il y en a une surtout qui mérite d'entrer direct au musée de la quétainerie : elle avec les cheveux tout montés, son bouquet de fleurs mortuaires dans les mains, moi dans mon habit bleu pâle avec un jabot blanc, les cheveux frisés et une moustache anémique. Du temps de ma dépression, je la ressortais des fois pour rire.

Ce furent des années cependant sans joie profonde, sans passion. Je n'ai jamais quitté Sylvie Meunier, j'ai continué de désirer Laura du cours d'allemand, j'ai aimé tout un harem de femmes qui n'en ont jamais rien su. Des amies étudiantes, et plus tard des secrétaires et des collègues avocates. Pour désirer Aline physiquement, je mettais le corps d'une autre à sa place. La première fois qu'on a été ensemble, j'étais en pensée avec la première de ma classe en biologie, Jenny Halsted.

Quand nous avons fait notre fils, l'aîné des deux enfants que nous avons eus, je baisais une cliente, Mme Boyer, avec la passion d'un condamné à mort. Ainsi, j'ai toujours trompé Aline sans jamais m'écarter du droit chemin. Je n'en rougis pas trop parce qu'elle-même, après notre séparation, m'a avoué que les fois où elle avait eu le plus de plaisir, c'était parce qu'il y avait un autre homme entre nous. Au moins, on a fini par se dire la vérité. Après.

Ce sont nos enfants qui nous ont séparés. Eux et d'autres petites misères.

Je me rappelle quand j'ai vu mon fils, l'aîné, le jour de sa naissance, à l'hôpital. Il est né peu après que j'ai été reçu au barreau. Je n'arrivais pas à ressentir la moindre joie, alors que mon père et mon grand-père exultaient. Je regardais le pauvre petit gars et je n'arrivais pas à lui trouver la moindre ressemblance avec l'un de nous deux. Maintenant que j'y pense, c'est peut-être parce qu'il était le fils de deux autres personnes. Celui de Mme Boyer, de mon côté, et du côté d'Aline, probablement Jean-Yves Ostiguy, le jeune associé de son père qu'elle trouvait de son goût parce qu'il conduisait une Renault. Une Renault qui ne partait jamais l'hiver, mais ça, c'est une autre histoire qui ne mérite pas d'être racontée.

Je me suis habitué au petit, mais je n'aurais jamais pensé que je finirais un jour par dire à cet enfant-là : « Va-t'en pis reviens jamais ici de ta vie ! » Il n'est jamais revenu non plus. Je n'ai jamais dit la même chose à sa sœur, mais elle est partie, elle aussi, sans jamais revenir.

Il faut que je change de sujet. J'ai de la misère à parler de ça tout seul, surtout que je suis plus à blâmer que n'importe qui ici.

Je me suis fait un nouvel ami, comme quoi la vie est encore belle. C'est un gars que je connais depuis le primaire. On a fait notre secondaire ensemble, puis on s'est perdus de vue. Il est devenu cameraman et il a épousé la fille d'un couple ami de mes beaux-parents. On s'est retrouvés voisins tous les quatre quelques années plus tard à Orléans.

Connaissez-vous Orléans? Je ne vous le souhaite pas. C'est en banlieue d'Ottawa, une ancienne paroisse rurale franco-ontarienne à l'os où les fermiers ont tous vendu leurs terres à des promoteurs immobiliers. C'est plein de maisons toutes faites pareilles où se sont réfugiées les familles canadiennes-françaises des vieilles paroisses d'Ottawa. De beaux arbres ont eu le temps de pousser depuis, il n'y a pas un gazon qui ne soit pas tondu bien comme il faut, les écoles sont censées être bonnes pour les enfants, et dans toutes les maisons, on trouve tous les gadgets de la vie moderne, mais pas un livre. Des fois, il y a des instruments de musique, mais qui ne servent pas souvent. Du temps où j'y vivais, les gens étaient tellement colons qu'ils ne savaient pas que le nom de la ville était français : ils prononçaient *Orleenz*. Je sais bien que je ne devrais pas dire ces choses-là et que je généralise, mais c'est pour me venger de m'être fait chier pendant vingt ans à Orléans. Vous feriez pareil vous aussi, peut-être même pire.

Toujours est-il que cet autre petit couple (on disait toujours qu'un couple était petit, allez savoir pourquoi…) s'était installé à deux rues de chez nous, et nos enfants, qui étaient du même âge, jouaient ensemble des fois. C'est comme ça que le gars et moi, on a refait connaissance. Ma femme aimait qu'on se tienne avec d'autres couples, et moi, comme d'habitude, ça ne me faisait rien et je ne disais rien.

Lui, André, je n'ai jamais trop su ce qu'il faisait dans la vie, mais je sais qu'il avait une bonne job. Il n'était pas que cameraman, il faisait aussi de la réalisation et de la production. Il était toujours en voyage à travailler sur des films, il a dû faire le tour du monde six fois ; à certains moments, il partait trois ou quatre mois à la fois. Sa femme, Lise, qui signait *Lyse* depuis que le *i* grec (gage de distinction et de pédanterie quétaine, si vous voulez mon avis) faisait fureur, restait à la maison pour s'occuper des enfants et, disait-elle, s'épanouir.

Les deux faisaient partie de la bourgeoisie hippie de l'époque. Ils avaient des valeurs différentes, disaient-ils. Ils ne pensaient pas comme les autres, c'est-à-dire comme nous autres, les pauvres colons d'Orléans. Quand ils arrivaient en visite, la première chose qu'ils faisaient, c'était de s'asseoir par terre. N'importe où, dans la cuisine, dans le salon, dans la cave. C'était leur manière à eux de nous dire qu'ils étaient cool et pas nous autres. Chez eux, ils s'assoyaient sur des chaises, des divans, des fauteuils, mais pas en visite ailleurs. Il est vrai que c'était l'époque des sit-in pour la paix, et s'asseoir par terre était la marque des nouveaux bien-pensants. Moi, ça ne me dérangeait pas, mais ma femme, ça la fatiguait un petit peu.

Tout le reste venait avec. Leurs enfants les appelaient par leurs prénoms, ils ne plantaient pas des fleurs devant la maison mais des patates et des carottes, « pour faire original » — si je n'ai pas entendu cette expression-là dans la bouche de Lise, alias Lyse, au moins cent fois, je ne l'ai pas entendue une fois —, et ils ne sont jamais allés en Floride ou dans les Antilles en vacances l'hiver. « Ah non ! C'est trop bourgeois ! Nous autres, on suit des cours d'espagnol le soir pour nous tenir avec le vrai monde au Guatemala le jour où on va y aller avec les enfants... » Etc.

Cela dit, lui, il gagnait gros, et ils vivaient bien. André nous accompagnait souvent dans les voyages de chasse ou de pêche qu'on organisait entre hommes d'Orléans, et ça coûtait un bras. Les enfants allaient à l'école privée, où ils se faisaient de bons amis (un autre refrain seriné mille fois), et ils passaient leurs étés dans le sud de la France ou à quelque autre endroit original.

Chose certaine, ils formaient une belle famille. Leurs enfants étaient très polis, et tout allait pour le mieux dans le meilleur des mondes d'Orléans. Puis, à cause de mes petits malheurs, je les ai perdus de vue.

Mais v'là-ti pas qu'il y a quelque temps de ça, les deux ont sonné à ma porte. Ils emménageaient le lendemain dans mon immeuble. Ils avaient entendu dire que j'étais déjà dans la place, et ils avaient des petites questions à me poser. Je les ai fait entrer avec plaisir, on a pris un verre, puis j'ai débouché une bouteille de vin et ils sont même restés à souper. Je n'ai rien dit sur le coup, évidemment, mais je me demandais que le diable ce qu'ils venaient faire dans ce quartier-ci. Et où était passée Orléans ? La belle vie d'autrefois, les vacances en Provence, la grosse jeep de monsieur, les cours de macramé de Lise Igrec ?

Je n'ai pas été long à apprendre la vérité. De lui, parce qu'elle, elle est restée distante avec moi. Même à l'époque de notre prospérité commune, elle ne me parlait que pour me faire la morale sur le capitalisme, la consommation ou quelque chose d'autre.

Il leur est arrivé un peu la même chose qu'à moi. Eux autres, ils ne croyaient pas dans les régimes d'épargne-retraite, les économies pour les vieux jours et tout le reste. Leur devise était l'une des plus sottes imaginées par l'homme depuis l'aube des temps : *On n'a rien qu'une vie à vivre,* évidence qui sidère toujours les hédonistes inimaginatifs.

Une fois les enfants partis de la maison, les contrats se sont faits plus rares pour lui. Pendant des années, il s'en est tout juste tiré. Puis il est tombé malade, quelque chose de rare. Il n'a pas travaillé pendant des années, et elle ne travaillait pas étant donné qu'on n'a rien qu'une vie à vivre. Ils ont fini par manger tout leur avoir et hypothéquer leur maison juste pour mettre du pain sur la table. Au bout de quelques années, ils ont été obligés de vendre et de se mettre à loyer.

Lui, maintenant, il vend des meubles chez Sears. Salaire horaire minimum et commissions. Il fait de longues journées et il trouve ça dur parce qu'il n'a plus la santé comme avant. L'idée même d'aller à l'ouvrage le matin le tue, et il rentre chez lui complètement crevé le soir. Elle, elle l'attend toute la journée. Il boit sa petite bière avant le souper et s'endort devant la télévision après le souper.

Franchement, là, ils font pitié, les deux. Ils se sentent pauvres parce qu'ils se sont déjà sentis riches. Ce qui n'est pas mon cas : j'ai possédé beaucoup plus qu'eux dans le temps, mais je ne me suis jamais senti riche. Au contraire, je me sentais pauvre dans l'âme dans ma grosse maison à trois garages d'Orléans. J'aurais donné n'importe quoi pour faire la vie que je fais maintenant et avoir près de moi un être qui m'aimerait vraiment et que j'aimerais démesurément.

Quand sa femme n'est pas à la maison, il vient chez moi et on parle des heures de temps. Des fois, l'été, on prend nos vélos, et on va se payer un cornet de crème à glace molle chez Dairy Queen dans le bout de Manor Park. On est là, deux cyclistes à tête grise, qui refont le monde autour d'un cornet à la vanille, exactement comme quand on était jeunes, lui et moi, et on se trouve drôles tous les deux dans notre régression. Ou des fois, avec la permission de sa femme, il vient chez nous, et on joue au Monopoly jusque tard dans la nuit. À minuit, on sort la bière, on se commande une pizza et on parle encore. Ça nous fait du bien.

J'essaie de le consoler en lui rappelant que lui, au moins, il a toujours son couple. « Vous vous avez toujours », que je lui dis. Et ils ont des enfants qui se sont bien débrouillés dans la vie. Sa femme et lui les voient encore, ils sont même grands-parents. C'est quelque chose, ça. Et puis, sa situation n'est pas désespérée : dans quelques années, quand sa femme et lui auront droit à leurs pensions de vieillesse, ils pourront aller s'installer dans la maison que possède la mère de Lyse à Bourget, pas loin d'Ottawa. La vieille aura le temps de mourir d'ici là. Ils auront un toit, de quoi vivre, chichement mais dignement. « Oui, qu'il dit, mais en attendant, c'est long longtemps. »

L'autre jour, pour le faire rire un peu, je lui ai expliqué que je fais désormais du bénévolat. Il s'agit en fait d'une femme avec qui je sors depuis quelque temps. Je l'ai rencontrée chez Tim Hortons un samedi où j'étais allé là pour lire les journaux et boire un mauvais café. Elle travaille là, justement. Elle a connu sa part d'épreuves, comme tout un chacun. Elle était seule au monde, plus d'enfants, plus de mari, nouvelle à Ottawa, sans amis, hommes ou femmes. On a sympathisé, manière de dire qu'on couche ensemble des fois. Elle s'appelle Yvonne. Elle est de Cornwall. Yvonne de Cornwall. Elle aime jouer aux cartes, activité que je détestais jeune homme, mais là, j'y prends goût. Elle boude quand elle perd : c'est le seul défaut que je lui connaisse. Une fois, elle m'a demandé si je l'aimais ; comme je suis désormais incapable de mentir dans le domaine des sentiments, alors qu'autrefois j'étais doué sans bon sens pour la fausseté, je lui ai dit que non, mais que je lui voulais du bien. Je fais donc du bénévolat. Elle a trouvé l'idée comique. Depuis ce temps-là, elle dit aussi qu'elle fait du bénévolat avec moi. Bref, on s'accorde bien tous les deux, ce qui est mieux que rien. Enfin, pour remonter le moral à mon ami, je lui raconte mes petits malheurs à moi. Après, il rentre chez lui sûr d'aller bien. Des fois, j'en rajoute un peu pour qu'il aille vraiment bien.

S'il y a une phrase que je déteste entendre, c'est : «Vous aviez tout, vous autres...» C'est vrai, nous avions tout, mais nous n'avions rien d'autre.

Je n'ai exercé le droit qu'une dizaine d'années. Le bureau marchait bien, mais après le décès de ma mère, je me suis senti suffisamment affranchi pour faire autre chose de ma vie. Je me suis lancé en affaires. Les beignes et le café, l'avenir était là. J'ai réalisé tout mon capital et je me suis acheté une franchise dans ce domaine-là. J'ai fait de l'argent comme de l'eau. Tellement qu'au bout de quatre ans j'avais trois franchises toutes payées. Je travaillais dur, mais j'aimais ça. Ma femme travaillait au gouvernement, on avait un garçon et une fille en santé, la grosse cabane à Orléans, un camp hivérisé à Lefaivre, sur le bord de la rivière des Outaouais, on faisait même du ski avec les enfants, quoi demander de plus ? Le reste, justement.

«Pourtant, on a tout fait comme il faut», se lamentait parfois à juste titre ma femme, Aline. C'est peut-être là qu'on a manqué notre coup. Nous avons étudié pour plaire à nos parents, nous nous sommes mariés, elle et moi, encore une fois pour leur plaire, et des années de temps, toute notre vie gravitait autour des soupers du dimanche et des fêtes auxquels nous invitions nos parents et amis. Nous achetions tout ce qui était à la mode, de l'essoreuse à salade au barbecue au gaz, toujours pour plaire et être comme tout le monde. C'est pour ça que nous avons fait des enfants : parce qu'il le fallait.

J'ai déjà dit la sensation étrange que j'ai éprouvée la première fois que j'ai vu mon fils. Comme si je m'étais demandé : « Mais d'où il sort, lui ? Qu'est-ce qu'il fait là ? » On aurait juré que ce pauvre enfant avait été conçu en dépit de nous deux. Mon père voulait qu'on l'appelle Adrien ; mon beau-père qui ne faisait toujours rien, Rosaire de Bellefeuille, voulait qu'on l'appelle Mario. On a fini par l'appeler Éric, pour ne faire de peine à personne. Année après année, à l'école, il y avait au moins six Éric dans chaque classe. Ma fille s'appelle Caroline ; elle aussi, elle en avait quatre autres appelées comme elle dans sa classe.

Ce sont les enfants qui se sont chargés de pulvériser ce conformisme orléanais dont je rougis tant aujourd'hui. Éric était rebelle dans l'âme. Moi qui avais rêvé d'être délinquant quand j'étais petit, lui, on peut dire qu'il a dépassé toutes les espérances du père. Je pense qu'on a dû le changer de gardienne et de garderie vingt-deux fois avant qu'il entre à l'école. On nous appelait et on nous disait : « Reprenez-le, votre petit, il est pas du monde ! » Il battait les autres, il faisait des mauvais coups, il était impoli, il se sauvait, il n'y avait rien qu'il ne faisait pas. On l'a fait médicamenter, on lui a fait voir des psychologues, on l'a envoyé dans des camps pour l'enfance exceptionnelle, on lui a fait suivre tous les cours imaginables (équitation, violoncelle, pour ne nommer que ceux-là) afin de lui faire découvrir un intérêt dans la vie. Peine perdue. Ça marchait trois jours, puis il fallait recommencer, trouver autre chose. Cet enfant a eu tous les jouets de la terre, il n'en a aimé aucun. On aurait dit parfois qu'il sentait son pouvoir sur nous, même quand il était tout petit, mais on ne savait pas quoi faire avec lui, il nous faisait damner sans bon sens.

J'ai commencé à prendre mes distances par rapport à lui après que j'ai vu un pédopsychiatre renommé et payé à prix d'or au retour d'un voyage de pêche qui avait été un désastre mémorable à cause du jeune. Il avait refusé de quitter le chalet pour venir pêcher avec nous au petit matin, et à notre retour, le chalet était tout enfumé. Il avait voulu faire cuire je ne sais pas quoi et il avait failli mettre le feu sur le poêle. Le chalet n'était plus habitable, et il avait fallu faire revenir l'hydravion deux jours plus tôt. J'avais dû dédommager mes amis au prix fort. Et chaque fois que l'un d'eux ou moi, on demandait au petit pourquoi il avait fait ça, il avalait un petit sourire gourmand. On avait tous envie de le tuer ou de le laisser là. Pour me faire enrager par la suite, il disait à qui voulait l'entendre que c'étaient les plus belles vacances de sa vie. Le petit tabarnac…

C'est là que je me suis dit que c'était moi qui avais besoin d'aide, et non lui. Le psychiatre a été clair : il existe des enfants, comme lui, qui sont profondément rebelles jusqu'à un certain âge adulte, et il n'y a rien à faire, juste les aimer comme on peut. Moi, j'ai décidé que je ne pouvais plus. Après cela, quand un parent ou un prof m'appelait pour se plaindre de lui, je demandais seulement combien. Ma femme se chargeait de le réprimander, moi, je ne lui adressais plus la parole. D'autant que, dans ces années-là, il a complètement cessé de parler français à la maison. Dans sa rébellion, tout était bon. Caroline, sa sœur, faisait pareil, d'ailleurs. C'était vraiment à se demander où on était allés pêcher ces deux enfants-là.

Elle aussi était rebelle. Comme lui, elle nous volait pour s'acheter de la drogue, elle fuguait, elle ne faisait rien de bon à l'école. On aurait même dit qu'elle voulait dépasser son frère en malfaisance. Des fois, elle y arrivait.

Sa révolte à elle a duré moins longtemps, cinq ou six ans, pas plus. À quinze ans, elle est tombée enceinte de son revendeur de drogue favori, elle a mis le bébé au monde et on l'a placé en adoption tout de suite, avec son accord à elle, je précise. Je ne veux pas savoir où cet enfant a abouti. Après ça, elle est partie de la maison pour Vancouver, et elle y est encore. J'ai parfois des nouvelles d'elle par ma sœur qui vit là-bas. Je sais qu'elle est serveuse dans un restaurant et qu'elle vit avec quelqu'un. Somme toute, on dirait qu'elle est plus tranquille. La dernière fois que je lui ai parlé au téléphone, c'était il y a trois ans. J'entends encore sa voix : « *Goodbye, dad, keep well !* » Je me suis alors rendu compte que toute notre conversation s'était déroulée en anglais.

Curieusement, l'année où Caroline était enceinte

a été la plus calme et la plus heureuse de notre vie de famille. Caroline ne faisait plus la folle comme avant, et notre Éric, qui devait avoir dix-sept ans, s'était fait un ami, qui s'appelait Jordan. Un enfant troublé lui aussi, mais sa mère avait plus le tour avec lui, et comme notre Éric était tout le temps rendu chez eux, il faisait moins de mauvais coups. Pourtant, les débuts de cette amitié n'avaient pas été prometteurs.

J'avais reçu un appel de la police au travail : « On a monté votre fils au poste avec son ami, ils auraient été pris à voler dans une pharmacie. » Comme j'avais l'habitude de ses frasques, je suis allé au poste de police sans trop me presser. Dans la salle d'attente, il y avait une dame. J'ai pris une revue qui traînait sur une table et je me suis assis pour faire un brin de lecture en attendant. Tout à coup, je l'ai entendue qui me demandait : « Êtes-vous le père d'Éric ? Je suis la mère de Jordan. » Je me suis levé pour achever de me présenter, et nous avons parlé.

La minute d'après, j'étais prêt à attendre mon fils jusqu'à la fin du monde dans cette salle crasseuse qui ne sentait pas bon. Cette femme était toutes les femmes. Son joli minois faisait oublier la grisaille naissante dans ses cheveux. Ses yeux verts souriaient sans cesse, et sa diction avait quelque chose d'apaisant. Les confidences déboulaient de ma bouche comme si de rien n'était. Elle avait, elle aussi, envie de se confier, et j'étais tout heureux de l'écouter.

Jordan avait à peine connu son père, ce qui n'était pas un si grand mal que ça, car, d'après ce que j'ai compris, cet homme était un royal trou-de-cul. Ce n'est pas elle qui a dit cela, évidemment que non, elle avait trop de classe pour ça. Elle avait élevé le jeune toute seule avec trois ou quatre amants successifs qui avaient fait des stations plus ou moins longues chez elle, et tous l'avaient quittée parce qu'ils ne pouvaient plus endurer le petit. Il faisait le malheur de sa mère comme Éric faisait le mien.

Elle m'a raconté qu'elle était traductrice au Parlement, qu'elle était originaire de Sherbrooke et qu'elle n'aimait pas Orléans, où elle s'était installée pour que son fils se fasse des amis parmi les petits voisins. Elle regrettait son choix. Je la comprenais en toutes choses.

Quand j'ai été convoqué par le policier qui avait arrêté les deux jeunes, je n'ai pas pu m'empêcher de jouer au héros en assurant à la dame que je les sortirais de là dans le temps de le dire. Ça n'a pas été difficile. Les deux gars avaient eu le temps de se débarrasser des objets qu'ils avaient pris; la preuve était faible, mais l'agent tenait à ce que les deux soient sermonnés comme il faut. Je lui ai dit que j'en faisais mon affaire. « Merci pour tout, monsieur. Vous ne les reverrez pas ici de sitôt! »

Je n'ai même pas pris la peine de chicaner mon gars, j'avais trop hâte de ramener l'autre à sa mère pour poser au sauveur. Coup de chance, elle était venue directement du bureau et n'avait pas sa voiture. J'ai offert de les raccompagner. Elle était assise à côté de moi, avec son parfum qui ennoblissait mon véhicule. Les deux jeunes étaient assis derrière et trouvaient leur aventure bien drôle. Moi, je m'en foutais, j'avais la mère de Jordan à côté de moi. Le trajet n'a pas été assez long à mon goût, et quand je suis sorti pour ouvrir la portière du côté de ma passagère, je me suis fait l'effet de l'homme heureux qui raccompagne chez elle, après une première sortie, celle qui sera la femme de sa vie. Pour la première fois de ma vie, je me suis senti beau.

Ma dépression a commencé ce jour-là, je pense. Une déprime amoureuse, qui a failli me tuer de tristesse bien des fois, et qui a duré de longues années, pendant lesquelles j'ai mis tout mon honneur à ne rien révéler à cette femme de mes vaines souffrances.

Pendant les six ou huit mois qui ont suivi, il a fait soleil tous les jours, même quand il pleuvait. J'affirme aujourd'hui, haut et clair, que j'ai pensé à elle du lever au coucher, à chaque instant que j'avais de libre et quand j'étais pris. Je dialoguais avec elle des heures durant, je lui demandais son avis sur tout, et j'approuvais tous ses propos. Dans ma tête, je lui écrivais de longues lettres qu'elle n'a jamais lues. Et je lui ai parlé combien de fois pendant tout ce temps? Quatre ou cinq, pas plus, et chaque fois nous parlions de mon fils, et notre conversation se terminait avec moi qui la remerciais d'exercer une influence si saine sur lui.

Il ne faisait plus de mauvais coups. Ses professeurs ne se plaignaient plus de lui. La police se tenait loin de chez nous. Il se droguait encore un petit peu, du hasch ou du pot de temps en temps, j'imagine, mais la cocaïne, le crack, l'héroïne, ça, c'était fini au moins. Il ne nous volait plus ; il demandait la permission après s'être servi.

Le fait de voir sa sœur enceinte avait également eu un effet calmant sur lui. Nos deux enfants ne s'étaient jamais aussi bien entendus.

J'attribuais cette révolution dans le comportement de mon fils à sa fréquentation du petit Jordan et de sa mère. C'était entre autres pour cela que j'étais amoureux d'elle : elle m'avait rendu mon fils. Et quand je fantasmais sur elle, je me voyais débarquant chez elle et lui offrant la vie commune pour que nos fils n'en soient que plus forts. S'ils ont des parents heureux et amoureux l'un de l'autre, ils ne pourront qu'aller bien, que je me disais.

Évidemment, je n'ai jamais poussé le fantasme jusqu'à m'ouvrir à elle. L'équilibre de ma famille était trop délicat pour que je songe un seul instant à le mettre en péril par une fausse manœuvre. Et puis, elle avait peut-être quelqu'un dans sa vie, et je ne voulais pas risquer le moindre rejet. Je me contentais donc d'aimer une image.

Éric allait tellement bien qu'un jour il nous a annoncé qu'il voulait aller au Costa Rica. « Je veux faire quelque chose pour l'environnement », qu'il a dit. Sa mère et moi avons pleuré de joie devant lui. Nous lui avons payé le billet avec plaisir. C'était un peu après que Caroline avait accouché et décidé de s'en aller, elle aussi.

Nous lui avons fait une fête en règle, et nous avons tué le veau gras avant que l'enfant prodigue s'en aille. La veille de son départ, je lui ai demandé s'il avait besoin d'argent ; il m'a dit que non. Nous l'avons accompagné tous les trois à l'aéroport, et quand je l'ai vu nous saluer en agitant son passeport, j'ai dit à ma femme : « On avait raison de pas se décourager. Regarde : il s'en est sorti. Il va être correct astheure. » Sur le chemin du retour, je me suis dit que je tenais là un bon prétexte pour appeler la mère de Jordan. Je lui raconterais la scène du départ et je la remercierais avec effusion pour tout ce qu'elle avait fait pour lui. Elle remarquerait alors peut-être dans ma voix une chaleur qui n'était destinée qu'à elle. On se donnerait rendez-vous pour aller prendre un café, on discuterait, et qui sait ? Je n'ai pas mis mon plan à exécution, naturellement. Mais j'avais de bonnes raisons : ça allait mal au travail, et j'avais de plus en plus de difficulté à retourner tous les soirs dans ma grande maison vidée de ses enfants. Un soir, ma femme est rentrée tard ; elle avait l'air d'avoir perdu un pain de sa fournée. « Qu'est-ce qu'il y a ? » Elle arrivait du poste de police. La mère de Jordan avait porté plainte contre notre fils : il avait subtilisé sa carte bancaire et son numéro d'identification personnel, puis il avait vidé tous ses comptes. Il y en avait pour plus de sept mille dollars. Dès le lendemain, j'ai fait livrer un chèque visé à la dame au montant correspondant au vol. Elle a retiré sa plainte. Il avait volé la femme que j'aimais. Pour la première fois, je l'ai renié dans mon cœur.

Évidemment, je n'ai jamais rappelé la dame. Je l'ai revue quelques fois par la suite, de loin en loin, à des ventes de garage dans le quartier. Ou à l'épicerie. On se saluait, mais sans échanger une parole.

Éric est revenu à la maison quelques fois depuis. Il

n'était pas resté au Costa Rica bien longtemps ; il avait abandonné son projet environnemental au bout d'une semaine parce que c'était trop fatigant. Il était allé passer l'hiver au Mexique ; après, il était allé en Californie. L'espagnol lui donnait trop de misère, qu'il a dit.

Sa mère et moi, on s'est laissés un an après le départ des enfants. Elle disait qu'elle avait rencontré quelqu'un à son bureau ; je ne l'ai pas crue, mais ça ne changeait rien à rien. Elle disait aussi que nous avions raté nos enfants. Je n'étais pas d'accord : on ne réussit pas ses enfants, pas plus qu'on ne les rate. Ils étaient qui ils étaient, c'était tout. Mais on ne s'est pas attardés à ça. Moi aussi, je voulais recommencer ma vie. Elle a obtenu une mutation dans le nord de l'Ontario. Elle vit à Thunder Bay maintenant. On ne se voit jamais, mais on se téléphone de temps en temps. Nous ne parlons plus des enfants.

Éric a continué de faire le fou pendant un bout de temps. Un jour, alors qu'il faisait du reboisement en Colombie-Britannique (ce qui m'a surpris de lui, paresseux comme il était), il s'est fait des amis, un couple de Français. La fille dans le couple avait décidé qu'elle ne retournerait plus jamais en France ; elle était heureuse au Canada et voulait y rester. Éric lui a offert de l'épouser pour qu'elle obtienne sa citoyenneté. La fille a trouvé que c'était un bon plan ; son chum aussi. Trois jours plus tard, Éric et elle se sont mariés. À la fin de la saison, les deux petits Français se sont poussés. La fille était enceinte : de son chum, pas d'Éric, parce que les mariés n'ont jamais couché ensemble. Il y a donc un petit Francœur qui se promène quelque part au Canada mais qui n'est pas parent avec moi. C'est ma fille qui m'a raconté cette histoire il y a quelques années de ça. Son commentaire : « C'était juste une façon pour Éric de dire au système et à la société de manger de la marde.» Ce qui est un point de vue.

Quand ma femme et moi avons vendu notre château ennuyant d'Orléans, elle a sorti toutes les photos que nous avions de la famille. Elle m'a demandé si je les voulais. Je lui ai dit que non. Moi non plus, qu'elle a dit. J'en ai gardé seulement quelques-unes, mais aucune des enfants. On a mis presque toutes nos photos aux vidanges. C'est triste d'une manière, mais on ne pouvait pas faire autrement.

Je suis allé demeurer quelques années à mon camp de Lefaivre, sur la rivière des Outaouais. Le partage des biens familiaux s'était bien passé, pas de chicane. Mais même ce camp-là, je ne l'ai plus : j'ai fini par m'en écœurer et le vendre.

Quand je pense à ma maladie, j'ai la mémoire qui divague de nouveau. Les années se confondent, les mois aussi, et je dois faire un effort de volonté suivi pour me rappeler les dates exactes. J'ai envie de les noter pour m'épargner cette peine, mais ça me gêne de le faire. Tout est si flou des fois.

Mes troubles de santé avaient commencé bien avant la crise. J'étais si déprimé que je marchais sur le pilote automatique. Les affaires allaient mal, et quand on me proposait un remède, je changeais de sujet, ou je promettais d'agir et je ne faisais rien. Je passais mes grandes journées à regarder les quatre murs entre lesquels j'étais. Je ne pourrais pas dire ce qui est arrivé ailleurs dans le monde pendant ces années-là, la vie tournait sans moi, et moi, je passais tout droit à côté. C'est le franchiseur qui m'a forcé la main finalement. J'étais en train de tout perdre. J'ai fini par me prendre un jeune associé, à qui j'ai tout vendu. À perte, bien sûr, mais c'était mieux que de faire faillite. De toute façon, j'avais perdu tout intérêt, et avec la vente de mes autres actifs, j'étais correct pour longtemps. J'ai tout placé chez un ami courtier, et un beau jour, je suis rentré sagement chez moi à Lefaivre pour faire une bonne crise cardiaque. Si mon voisin ne m'avait pas trouvé étendu sur le rivage à côté de mon bateau, j'y serais passé.

Les deux années qui ont suivi ont été encore plus noires. Les médecins l'ont confirmé : ma mémoire a été durement frappée par cet accident cardiaque. C'est une des raisons pour lesquelles je ne pourrai jamais retourner à l'exercice du droit à temps plein : j'ai oublié trop de choses, et ma concentration n'est plus ce qu'elle était. Il n'y a que quelques souvenirs qui flottent de ce temps-là, et aucun n'est beau ou digne de mention. Sauf un peut-être que je n'ai pas encore exorcisé, mais peu importe.

J'ai séjourné pendant presque une année dans une maison de repos. J'en suis sorti avec toutes mes couleurs et un peu plus de bonne humeur. J'ai dit que j'avais vendu mon camp parce que j'en étais dégoûté, mais c'est aussi parce que je n'avais plus d'auto : on m'a retiré mon permis de conduire après mon attaque, et je ne me suis pas donné la peine de le redemander.

C'est parce que je ne conduis plus que j'ai décidé à un moment donné de m'installer proche du centre-ville où j'ai grandi : à Vanier, rue Sainte-Cécile, près du cimetière Beechwood. Je n'ai rien à moi de mon ancienne vie, à part deux ou trois photos et quelques livres qu'on m'avait offerts à l'époque et que je n'avais jamais eu le temps de lire. C'est fait, maintenant. Ensuite, je suis entré chez Jolicœur Hardware comme commis-vendeur, au grand désespoir d'ailleurs de mon ami le courtier en placements, qui n'arrête pas de me dire : « T'as pas besoin de faire ça ! Si tu voulais, avec ce qui te reste... » Je lui dis de ne pas m'achaler ; je ne l'appelle jamais pour prendre des nouvelles de mes investissements, et ça ne m'intéresse pas de faire la vie fainéante de mon beau-père Rosaire, l'homme qui ne faisait rien parce qu'il avait réussi. Je fais maintenant la vie de l'immigrant qui commence au bas de l'échelle et qui trouve la vie bien plus belle dans son nouveau pays. C'est ma nouvelle vie, celle qui n'appartient qu'à moi désormais. L'ancienne, j'ai fait une croix dessus. *So long, Charlie Brown.*

Dernièrement, je n'étais pas trop de bonne humeur. Je ne savais pas ce que j'avais, mais je n'étais plus du monde. Je n'avais plus le goût de rien tout à coup. Yvonne de Cornwall était venue faire son tour à l'appartement, mais je n'avais pas le goût de ; je n'avais même pas envie de jouer aux cartes avec elle. Je lui ai demandé de rentrer chez elle parce que je ne filais vraiment pas. Elle a dit qu'il n'y avait pas de problème, qu'elle comprenait, et qu'elle reviendrait quand ça irait mieux. Elle a été vraiment gentille.

Le lendemain, André du dessus m'a téléphoné. « Ma femme sort à soir. Ça te tente-tu de venir regarder *Star Trek*? J'ai toute la collection. J'ai des steaks, on pourrait les faire cuire sur le barbecue dans la cour. On pourrait aussi regarder la partie de hockey, si tu préfères. » Non, merci, je n'avais envie de rien. Quand j'ai raccroché, ça m'est revenu : d'une certaine manière, c'était à cause de lui, André, si j'avais les bleus. Il ne l'a pas fait exprès, il n'est pas méchant, même qu'il n'a dû se rendre compte de rien.

Ce qui est arrivé, c'est que, l'autre soir, quand il est venu regarder ma collection de *Tintin*, il a mentionné, à propos de je ne sais pas quoi, le nom d'Évelyne Saint-Gelais. C'est ça qui me fatigue, c'est ça qui me trotte dans la tête depuis ce temps-là.

Un souvenir de plus à exorciser. Ça ne me tente pas, mais il va bien falloir que je le fasse, autrement, ça va me ronger en dedans et je vais redevenir malheureux. J'ai congé demain : je vais prendre la journée pour faire ça.

Ça s'est passé la dernière fois que j'ai vu mon fils, il y a plusieurs années de ça. J'avais encore mon chalet, et il était de passage dans la région, entre deux jobs, faut croire. Il avait entendu dire que j'avais été malade, et il était venu me voir. On avait passé deux jours ensemble, et ça allait bien entre nous. On ne se faisait pas de reproches, on parlait du présent seulement.

Un soir, il a invité deux amis à lui. On s'est fait des steaks sur le barbecue, on avait une couple de bouteilles de vin, et la soirée avait été agréable. J'avais l'impression qu'un nouveau chapitre venait de s'ouvrir dans notre vie à nous deux. Je ne croyais pas si bien dire.

À un moment donné, les gars sont sortis et ont fait un feu de camp. Je les ai laissés tranquilles, et j'ai fait la vaisselle et le ménage pendant qu'ils s'amusaient, puis je me suis endormi sur le sofa du salon. Vers deux heures du matin, je les ai entendus qui riaient fort; ils fumaient du pot, ils buvaient de la bière. Je n'avais plus sommeil, et j'ai décidé d'aller les rejoindre. Ils ne m'ont pas vu m'avancer dans le noir. Ils se parlaient en anglais, je me rappelle, même s'ils sont tous aussi francophones que moi. C'est de leur âge, c'est de leur temps, il y a longtemps que je ne me bats plus contre ça. J'ai abandonné.

Quand je suis arrivé, l'un disait à Éric : « *Those were the good days when you were fucking Jordan's mom, right? She taught you the ropes, didn't she? Good sex teacher, hey?* » Et les trois ont ri encore plus fort. Là-dessus, mon Éric s'est mis à raconter la première fois avec elle, puis les autres fois. Quand Jordan s'était aperçu qu'Éric couchait avec sa mère, il l'a mis dehors de la maison. Ça l'écœurait, qu'il disait. Pas longtemps après, elle lui avait dit qu'il valait mieux arrêter ça. J'ai compris alors qu'il s'était vengé d'elle en la volant. Puis il s'était sauvé au Costa Rica avec mon aide.

Je n'ai rien dit, je suis retourné dans ma chambre, et je n'ai pas fermé l'œil de la nuit. Le lendemain matin, avant qu'il reparte avec ses amis, j'ai demandé à lui dire un mot seul à seul. C'est là que je lui ai dit que je ne voulais plus jamais le revoir. Il n'a pas compris évidemment que c'était parce qu'il avait sali un des plus beaux souvenirs de ma vie. Jamais je ne m'étais senti aussi cave, aussi niaiseux, aussi innocent. J'avais vraiment le sentiment d'avoir vécu juste pour faire rire de moi. Il s'est en allé sans me demander pourquoi je le foutais à la porte de ma vie, comme s'il s'était attendu à ça depuis toujours : « *Bye, dad.* »

J'ai vendu mon camp dans le mois qui a suivi. Et je me ferais crucifier plutôt que de manger un autre steak sur le barbecue.

Encore aujourd'hui, quand je pense à Évelyne Saint-Gelais, je ressens au cœur le même pincement que j'ai eu quand j'ai fait ma crise. Mais là, ça va mieux, on dirait. Je crois bien que je ne l'aime plus. Je pense…

Je m'en vais. Je pars en voyage, je ne sais pas où, mais je pars pareil. Un vrai voyage, pas une excursion organisée avec d'autres Canadiens ivrognes dans quelque tout-inclus au soleil, non, un vrai voyage. J'ai reçu mon nouveau passeport hier. Je commence par l'Asie, et j'irai en Europe. Je ne sais pas combien de temps je serai parti.

Je vais peut-être revoir les enfants. Ma fille à Vancouver, mon fils en Italie. Oui, il paraît qu'il est rendu là. Mon frère, qui a le sens de la famille, lui, l'a vu il n'y a pas longtemps. C'est lui, mon frère, qui a décidé de retrouver sa trace, et je ne sais pas comment il a fait, mais il a réussi. Éric vit dans une sorte de commune dans le Piémont. Il travaille la terre et il fait de la poterie, il paraît. Il vit avec quelqu'un aussi, une fille du coin. Il parle même l'italien, que mon frère m'a dit. « Aimerais-tu ça revoir ton père, ta mère ? » que mon frère lui a demandé, et il a répondu oui. Ça en vaudrait peut-être la peine. Je me demande quel âge il a maintenant. Oh, je calculerai ça une autre fois.

Mes valises ne sont pas finies, mais pas loin. J'ai cédé mon bail à Yvonne de Cornwall. Elle m'a demandé si j'allais lui revenir. Je ne sais pas, que je lui ai dit, on ne sait jamais.

Jolicœur Hardware a passé au feu dernièrement. Dommage, très dommage. Un monument du quartier qui est disparu. Ce n'est pas pour ça que je pars, j'avais déjà décidé que j'avais besoin de vacances, les premières de ma vie nouvelle.

Si on me cherche, dites que je suis rendu à Toronto, comme la moitié des Franco-Ontariens de ma connaissance. Ou ne dites rien.

J'aime déjà les années d'incertitude qui m'attendent. Je ne suis sûr que d'une chose : je n'ai pas dit mon dernier mot.

Ottawa, 25 février 2012

Table des matières

CRÉDITS ET REMERCIEMENTS

Les Éditions du Boréal reconnaissent l'aide financière
du gouvernement du Canada par l'entremise du Fonds du livre
du Canada (FLC) pour leurs activités d'édition et remercient le Conseil
des Arts du Canada pour son soutien financier.

Les Éditions du Boréal sont inscrites au Programme d'aide
aux entreprises du livre et de l'édition spécialisée de la SODEC
et bénéficient du Programme de crédit d'impôt pour l'édition
de livres du gouvernement du Québec.

L'auteur tient à mentionner qu'il a bénéficié de l'aide financière
du Conseil des arts de l'Ontario.

Couverture : Ann Elliott Cutting Photography, *Ferris Wheel, Blue Hill
Maine*.

EXTRAIT DU CATALOGUE

Ce livre a été imprimé sur du papier 100 % postconsommation,
traité sans chlore, certifié ÉcoLogo
et fabriqué dans une usine fonctionnant au biogaz.

MISE EN PAGES ET TYPOGRAPHIE :
LES ÉDITIONS DU BORÉAL

ACHEVÉ D'IMPRIMER EN NOVEMBRE 2012
SUR LES PRESSES DE L'IMPRIMERIE GAUVIN
À GATINEAU (QUÉBEC).